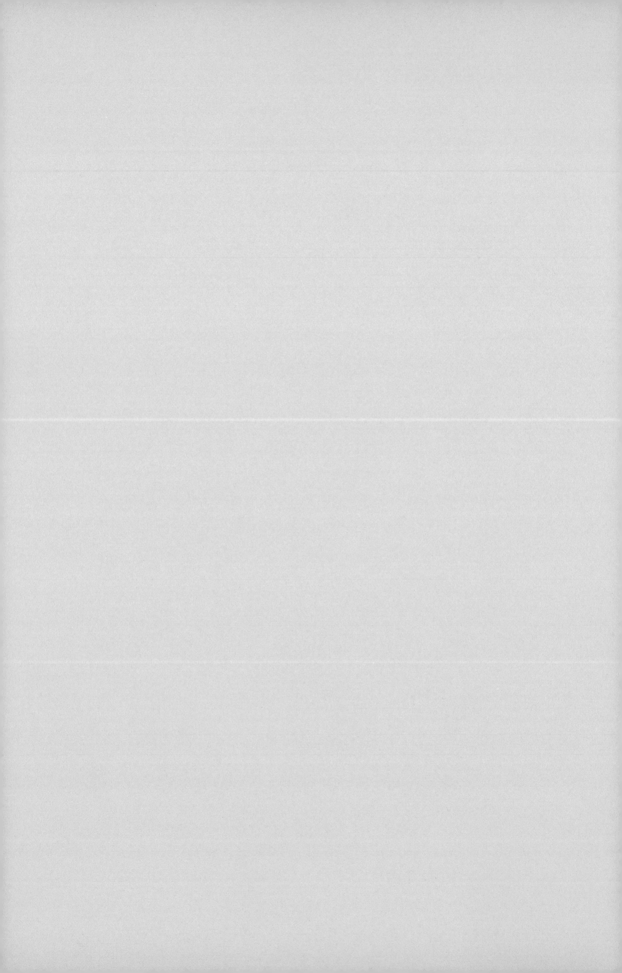

MBTI 수업

양옥미 지음

MBTI 수업

발 행 | 2024년 1월 23일

저 자 | 양옥미

펴낸이 | 한건희

펴낸곳 | 주식회사 부크크

출판사등록 | 2014.07.15.(제2014-16호)

주 소 | 서울특별시 금천구 가산디지털1로 119 SK트윈타워 A동 305호

전 화 | 1670-8316

이메일 | info@bookk.co.kr

ISBN | 979-11-410-6850-9

www.bookk.co.kr

CONTENT

경쟁을 넘어 나다움을 찾아가기

나는 청소년을 대상으로 교육 일을 하고 있다. 청소년을 향한 애정으로 책을 쓰고 있다. 청소년과 함께 MZ는 나의 관심 안에 있다. 두 세대는 공통분모가 많다. 후기 산업화, 후기 자본주의, 후기 포스터 모던, 후기 민주주의 등으로 표현되는 급격한 변동의 시대 속에 있다. 개인과 집단 중심주의와 물질주의, 가치관의 혼란, 인격적 소통의 부재와 갈등이 일어나고 있다. 계층별 격차가 벌어지고 있고, 나라들 사이의 격차가 심화하고 있는 현실이다. 즉, 무한 경쟁 사회를 살고 있다.

청소년과 MZ는 입시경쟁과 취업 경쟁의 고통 속에 있다. 그래서 내가 원하는 꿈을 꾸기가 쉽지 않다. 청소년과 MZ는 스마트폰 세대이다. 동영상 시대 속에서 빠르고 감각적이고 감성적인 것을 추구하는데 익숙하다. MZ는 온라인 커뮤니케이션을 일상으로 가져온 첫 세대다. MZ의 문화는 개인화, 취향, 온라인 커뮤니티, 덕후, 짤, 재테크, 비혼, 혐오, 젠더 갈등, SNS, 중독, 1인 가구 등으로 설명할 수 있다.

여행과 휴식까지 SNS에 올리며 비교와 경쟁을 멈추지 않는 MZ 세대의 자아상은 어디서부터 형성되었을까? 청소년기의 자아상 형성에 영향을 받았다고 본다. 입시 중심의 교육이 경쟁과 비교 문화를 만드는 데 영향을 미쳤다. 나의 존재의 가치가 점수와 대학으로 평가받는다. 나 자체가 절대적으로 존중받지 못한다.

경쟁교육의 낮은 자존감 형성은 행복에도 영향을 주었다. 청소년과 MZ의 공통분모는 낮은 행복도이다. 전 시대에 비해 소비 수준의 상승과 비례하여 행복도도 높아졌으리라 예상할 수 있다. MZ와 청소년들의 행복도 조사 자료를 책에서 보았는데, 다른 세대에 비해 낮다. 한국의 전체 행복도는 낮은데 평균보다 더 낮다는 말이다.

행복하고 싶은 소망은 누구에게나 있다. 무엇보다도 청소년과 MZ는 행복을 마음껏 누려야 할 시기다. 행복은 개인의 경험, 가치관, 생활 환경 등 다양한 요소에 의해 영향을 받는 복잡한 개념이다. 행복을 위해 개인은 자신의 가치와 욕구를 이해하고 다양한 영역에서 균형을 추구해야 한다. 무엇보다 어려움을 극복할 때 비로소 행복하다.

어떻게 하면 현재를 살고 누리며 행복할 수 있을까? 현재의 행복을 즐기는 '욜로'는 진정한 행복일까?

각자 나름대로 대답이 있으리라. 나는 나답게 살아가는 데 행복이 있다고 본다. 나답게 사는 것은 곧 나다움을 찾는다는 의미다. 경쟁과 비교는 나다움을 잃을 때 찾아온다. 그리고 즐거움과 행복과 만족을 빼앗는다. 행복이나 성공을 한 가지 색으로 볼 때 나다움을 잃어버릴 수밖에 없다. 나는 누구인가? 나다움을 찾는 것은 자기 정체감을 형성하는 것이다. 나에 먼저 집중하고 나의 길을 찾아야 한다. 남과 끊임없이 비교하고 경쟁하면 시기의 화신이 되어 재로 남을 수 있다.

개인은 각자의 빛깔이 있다. 세상에는 사람의 수만큼 많은 빛깔이 큰 그림의 모자이크를 수놓는다. 나의 고유한 빛깔은 지구상에 단 하나밖에 없다. 경쟁을 넘어 나다움을 찾는 것은 자신의 고유한 성향과 가치를 발견하고 존중하는 과정이다. 내가 경쟁하면서 붙들고 좇아가는 삶이 내가 원하는 삶인지 물어야 한다. 내가 진정으로 추구하는 것이 무엇인지를 찾아야 한다.

나다움을 찾는 것은 나를 이해하는 것이다. 나의 감정, 생각, 꿈, 강점 등이 무엇인지를 알아야 한다. 나다움을 찾고 자신의 인생을 주도적으로 사는 사람이 행복하다. 주인이 행복하지, 노예가 행복할 수 없다. 내가 누구인지를 발견하고 무엇을 하고 싶은지를 알면 행복하다.

나다움을 찾는 좋은 도구가 MBTI이다. 요즘은 MZ와 청소년의 명함이 MBTI라고 한다. 나의 진정한 모습을 찾고자 하는 소망이 MBTI 열풍을 몰고 오는 게 아닐까? 카페에 앉아서나 여기저기서 MBTI에 관한 이야기를 흔하게 들을 수 있다. 이 시점에서 모두에게 유익을 주는 MBTI가 되도록 환기하고 싶다. 탁한 바람은 내보내고 신선한 공기로 바꾸어주어야 몸에 좋다.

MBTI가 독이 아니고 약이 되려면 MBTI를 대하는 올바른 태도를 먼저 회복해야 한다. 나와 타인을 이해하기 위해서 사용하고 있는가? 아니면 단지 남을 해석하고 판단하기 위한 도구인가? MBTI를 자신의 편의와 입맛대로 사용한다면, 자신과 남에게 좋은 영향을 줄 수가 없다.

MBTI의 지혜로 성격의 본질에 다가가면 나와 타인을 대하는 올바른 태도를 회복할 수 있다. 회복은 행복 감성을 선물하리라 믿는다. 이 행복은 치유, 소통, 회복과 자립으로 가는 징검다리가 될 수 있다.

*chatgpt를 참고 자료로 사용했습니다.

1부. 만나다

<나를 소개합니다>

1. 나와 닮은 꼴 동물은?

2. 내가 가장 좋아하는 신체 부위는?

3. 제일 좋아하는 음식은 무엇인가?

4. 좋아하는 음악 장르는 무엇인가?

5. 시간과 돈이 갑자기 주어졌을 때 무엇을 하고 싶은가?

6. 요즘 겪은 최고의 기쁜 일이나 최악의 스트레스는 무엇인가?

7. 나의 이상향은?

8. 나의 MBTI는?

1 들어가기

    '당신은 사람들의 성공에 기여한 적 있는가?'라는 책을 쓴 마이크로소 프트의 이사인 이소영님의 강의를 들었다. MS의 캐빈 토너 회장은 상대평 가를 통해서 경쟁화를 가속했다. 점수를 매겨서 1등과 꼴찌로 나누었다. 상 대평가는 상대방을 경쟁자로 여긴다. 상대평가에서 실패는 절대로 용인할 수 없다. 수치화하고 평가하면서 경쟁을 가속화한다. 그 결과 MS는 외부의 혁신이 아니라 내부 동료들과 경쟁이 일어났다. 시도하는 일마다 실패로 돌 아가면서 망하기 일보 직전까지 갔다.

    3대 회장 사티아가 부임하면서 리더십의 변화를 맞는다. 사티어 회장은 고정 마인드셋에서 사람과의 연결로 평가하는 성장 마인드셋으로 전환하였 다. '당신은 사람들의 성공에 기여한 적 있는가? 당신이 다른 사람의 노력 을 바탕으로 만든 성과는 무엇인가?' 직원들은 이 질문의 에세이를 6개월 에 한 번씩 써서 피드백을 받는다. 문제 해결책을 마련해 주는 공감과 경청 으로 남의 필요를 돕도록 태도를 수정한다.

    이소영님은 내가 할 수 있는 것을 알고 다른 사람의 성공에 기여하는 것이 직업이라고 말한다. 그리고 커뮤니티 리더십을 다음과 같이 정의한다. 내가 알고 있는 지식과 경험을 최대한 널리 알린다. 공동체의 성장을 도와 사람들이 자발적으로 내 의견이나 정보에 귀 기울이게 하는 능력이다.

    MS가 성장 마인드셋 이후 다시 시가 총액 1위를 탈환한 사실은 놀라왔다. 경쟁과 시기는 결국 남과 나를 포함한 공동체를 무너뜨린다. 공동체가 생존하고 발전하는 길은 서로의 성공에 기여하는 것임을 확인했다. 나와 남을 살리기 위해 MBTI 수업에 들어가자.

MBTI(Myers-Briggs Type Indicator)는 마이어스와 브릭스가 융(C.G. Jung)의 심리 유형론을 근거로 만든 성격유형 검사이다. 융은 사람이 태어나면서부터 타고난 성격이 있다고 보았다. 똑같은 상황에서도 서로 좋아하는 것이 다르다. 개인의 선호성이 근본적으로 다르기에 4가지 선호 지표가 있다. 선호성이란 내가 습관처럼 편하고 자연스럽게 사용하는 것이다.

MBTI는 나와 타인의 성격을 이해하도록 돕는다. '나'라는 존재 자체의 특별함을 먼저 발견하자. 나의 유형을 찾고 싶다면 일상에서 나를 관찰하고 기록하면 도움이 된다. 검사를 통해 나온 성격유형을 자신이 아니라고 하는 경우가 있다. 지금 당장 나의 유형을 못 찾아도 괜찮다. 자신이 자신의 모습을 인정해야지 남이 강요할 수는 없다. 시간이 걸리더라도 계속 들여다보면 나의 선호가 드러난다. 지금의 유형을 기준으로 나를 발견해가는 과정에서 나와 다른 선호에 대한 이해가 깊고 넓어진다.

3가지 태도

MBTI를 대하는 태도를 크게 세 가지로 나누어 보겠다. 첫째는 '나는 이런 유형이라 어쩔 수 없어, 그냥 이렇게 살 거야'. 체념형이다. 둘째는 '내가 이러는 건 모두 나의 유형 때문이야. 어쩔래'. 방임형이다. 세 번째는 '오 MBTI여! 모든 사람과 만물을 바라보는 색안경이여!' 타인의 MBTI를 물어보고 그 틀로 타인을 평가하고 해석한다. 무조건 MBTI를 믿고 모든 것을 MBTI로 해석한다. 맹신형이다. 그러나 MBTI로 모든 것을 해석할 수 없다. 상황과 환경은 고정되어 있지 않고 사람들도 통제가 불가능하기에 MBTI로 풀 수 없는 것들도 많다.

사람을 MBTI 카테고리에 묶어서 판단하고 단정 짓지 않도록 주의해야 한다. 세모 빨간색 안전 주의사항이다. 주의사항을 숙지할 때 재난을 면할 수 있다. MBTI가 판단의 도구가 되면 서로를 죽이는 꼴이다. 이해의 여지를 닫아버리기 때문에 선입견과 편견이 남는다. 변화와 성장의 씨앗을 짓밟는다. 그 어떤 유형이 더 우월하고 열등하다는 진단은 없다. 수술용 칼은 수술을 위해 사용해야지 휘두르고 찌른다면 서로를 해치는 흉기가 된다. MBTI로 규정한 틀이 화살로 날아가서 상처를 준다면 죄악이다. 경각심으로 대처해야 한다.

MBTI가 서로를 돕는 선한 역할을 해야 우리가 행복할 수 있다. **택배의 상품 배송 안내 문자가 왔다. "기쁨을 전하는 행복 상자 **택배입니다. 고객님의 소중한 상품을 가지고 출발합니다." MBTI는 나와 이웃이 소중한 존재임을 알려주고 기쁨을 전하는 행복 상자이다.

'빨강차 달린다'(그림책)

빨강차는 오늘도 신나게 길을 나선다. 새로운 길을 가장 먼저 달리고 싶어서 언제나 친구들보다 빨리 달렸다. 구불구불한 길, 복잡한 길을 달리다가 멋진 길을 찾아 좁은 길을 달렸다. 그러나 길이 보이지 않았다. 무섭고 두려웠지만 다시 달렸다. 넓은 길을 만난 빨강차는 다시 끌리는 작은 길을 달렸다. 그 길은 숲과 나무가 무성한 길이었다. 그 길을 빠져나오니 먹구름이 몰려왔다. 자신의 길을 가고 싶었으나 이제 지쳐서 절망에 빠졌고 모든 것을 포기하고 싶었다. 바로 그때 노랑차, 초록차, 파랑차가 줄줄이 붙어서 빨강차를 밀어준다. 빨강차는 다시 달린다.

4가지 선호성향

MBTI의 핵심은 4가지 선호성향의 확실한 이해다. 나의 선호성향을 찾으려면 4가지 선호 경향의 기본 의미를 먼저 이해한다. 두 성향의 차이점을 알고 좀 더 편하고 자유로운 쪽으로 선택해야 한다.

사람이 어떤 행동을 하기까지는 4개의 흐름이 있다.

-어디에 주의를 기울이는지

-어떻게 정보를 수집하는지

-무엇에 근거해 정보를 판단하는지

-어떤 식으로 판단 내린 결과를 행동에 옮기는지

힘의 근원:

당신은 에너지를 어디에서 어떻게 얻는가? 외향(I)과 내향(E)

사물을 보는 관점:

정보를 수집할 때 당신은 어떤 것에 주의를 기울이는가? 감각(S)과 직관(N)

의사 결정의 근거:

당신은 결정을 내릴 때 어떤 체계를 사용하는가? 사고(T)와 감정(F)

삶의 양식:

당신은 어떤 삶의 유형을 채택하는가? 판단(J)과 인식(P)

<4가지 선호성향의 주 관심사-관심을 중심으로 대화를 유도하기>

내향형 (Introversion): 주로 자신의 내면세계에 관심을 가지며, 조용하고 내성적인 성향을 보인다. 말할게 있어도 참는다. (소극적)

타인과의 상호작용을 별로 하지 않는다. 정보가 제한적이다. 알고자 하는 내용에만 집중한다. 정보를 글로 표현한다.

외향형 (Extraversion): 주변 환경과 상호작용을 즐기며, 사회적, 활동적인 성향을 보인다. 말하고 싶은 걸 참을 수 없다. 경계가 없다. (적극적)

질문이나 토론이 추가되는 마을회의, 리더와 직원과의 정기적인 비공식 모임, 다양한 면대면 주고받기 모임-리더는 팀이나 부서 회의에 참석해서 경청하고, 질문하고, 응답한다.

감각형 (Sensing):현실적인 사실과 세부 사항에 주로 관심을 가지며, 실용적이고 경험 중심의 성향을 보인다. 현실 만족을 추구한다. 나무에 집착하는 현실형. 반밖에!

직관형 (Intuition): 추상적인 아이디어와 가능성에 주로 관심을 가지며, 상상력이 풍부하고 비전을 중시하는 성향을 보인다. 삶의 의미를 추구한다. 숲이 보여야 나무가 보인다. 미래에 관심을 두는 이상형. 반이나!

사고형 (Thinking): 논리적인 분석과 객관적 판단을 중시하는 성향을 보이며, 객관적 원칙과 규칙을 따르는 경향이 있다. 철두철미. 따질 건 따진다.

감정형 (Feeling): 타인의 감정과 주관적 가치를 중요시한다. 조화와 공감을 추구한다. 우유부단. 좋은 게 좋다.

판단형 (Judging): 계획적이고 결정을 빨리 내리며, 구조적으로 일하는 성향을 보인다. 정리하고 싶다. 못 치워?-정리형. 순서대로 하자. 결정은 한 번뿐이다.

인식형 (Perceiving): 융통성 있게 상황을 받아들이며, 미루기를 좋아하는 탐색적인 성향을 보인다. 상황에 맞춘다. 안 치워!-개방형. 색다른 방법도 시도해보고 싶다. 더 나은 결정을 찾아본다.

이렇게 4가지 선호성향을 조합하여 총 16가지 성격유형이 생성된다. 각유형은 각각 고유한 특징과 행동 양식을 가지고 있다. MBTI는 이를 이용하여 사람들의 성격을 이해하고 팀 구성, 직업 선택, 대인관계 등에 활 용된다.

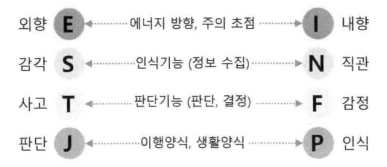

4가지 선호경향

외향 E	◀···· 에너지 방향, 주의 초점 ····▶	I 내향
감각 S	◀···· 인식기능 (정보 수집) ····▶	N 직관
사고 T	◀···· 판단기능 (판단, 결정) ····▶	F 감정
판단 J	◀···· 이행양식, 생활양식 ····▶	P 인식

외향 Extraversion　　내향 Introversion

폭넓은 인생 추구
vs
깊이 있는 인생 추구

외부활동과 적극성
vs
내부활동과 집중력

감각 Sensing　　직관 iNtuition

일관성과 일상성
vs
변화와 다양성

사실적, 구체적
사건묘사
vs
암시적, 비유적
사건묘사

사고 Thinking　　감정 Feeling

생각을 말한다
vs
느낌을 말한다

원리와 원칙
vs
의미와 영향

판단 Judgement　　인식 Perception

분명한 방향감각
vs
환경에 따른 변화

분명한 방향감각
vs
환경에 따른 변화

<코칭 질문>

1. 나는 누구인가?

2. 나는 누구를 위하여 사는가?

3. 나는 무엇을 위하여 사는가?

4. 나는 어디에서 활력이 넘치는가?

5. 나의 인생 가치는 무엇인가?

나다움을 찾는 법

1. 자기 인식과 자기수용을 한다. 강점과 약점, 흥미와 관심사를 파악한다. 자신의 성격과 가치를 수용하는 자세를 가진다.

2. 취미와 관심사를 추구한다. 원하는 취미나 활동을 찾고, 자유롭게 시도해보며 재미와 만족을 주는 것을 찾아본다.

3. 실험과 도전을 해보라. 새로운 분야나 환경에서 자신의 역량을 발휘해본다. 다양한 경험을 통해 더 많은 것을 배운다.

4. 타인과의 비교를 피한다. 자신의 성장과 발전을 위해 다른 사람들과의 경쟁이 아닌, 자신에게 집중한다.

5. 자기 목소리를 발견한다. 자기의 가치관과 이념을 탐색하며, 자신만의 목표와 비전을 찾아낸다.

6. 자신과 소통을 한다. 내면의 두려움이나 걱정을 이해하고 받아들인다. 자신과의 소통을 통해 정체감을 형성할 수 있다.

7. 영감을 주는 사람과 교류한다. 영감을 주는 사람들과 자주 교류하여 역량을 발휘하고 성장을 꾀한다.

2 성격을 이해하기 위하여

'파랑고 빨갛고 투명한 나'(그림책)

처음에는 작은 동그라미였다. 모두 동그라미였지만 똑같은 동그라미는 아니었다. 모두 무언가를 가만히 기다렸다.

어느 날, 꿈이 다가왔다. 파란 꿈은 모두에게 파랑을 남겼지만, 똑같은 파랑은 아니었다.

열정도 찾아왔다. 새빨갛고 강렬했다.

빨간 열정은 모두 빨강을 남겼지만, 똑같은 빨강은 아니었다. 상상은 투명한 모습으로 찾아왔다. 그래서 어떤 모양이든 될 수 있었다.

갈등이 찾아왔다. 머리가 아프긴 했지만, 그것이 남겨 준 무늬는 아주 근사했다.

그러던 어느 날, 날카로운 아픔이 다가왔다. 아픔은 어두웠고, 곧 우리를 짓눌렀다. 모두 사라져 버릴 것만 같았다.

우리는 온 힘을 다해서 어둠을 뚫고 나왔다. 따뜻한 빛이 우리를 맞아 주었다. 아픔은 우리에게 흔적을 남겼다.

덕분에 나에게는 까망도 생겼다. '파랑고 빨갛고 까맣고 투명하고 복잡한 나, 나는 이런 내가 좋아.'

'우리는 모두 파랑고 빨갛고 까맣고 투명해요, 하지만 조금씩 다 다르지요.'

우리는 각자 다양한 성격을 갖고 있다. 성격이란 어떤 상황에서 무슨 행동을 하는지에 대한 특성을 정리한 심리학적 개념이다. 성격은 똑같은 상황에서 각자 더 편하고 익숙한 선택과 습관이 반복되면서 그 사람의 특성이 된다.

성격이 다르다는 것은 사람들이 서로 다른 특징과 행동 양식을 가지고 있다는 말이다. 개인은 자신만의 독특한 성격과 성향이 있다. 이것이 서로 다르게 표현된다. 성격에는 좋고 나쁜 것이 없다. 성격은 나름의 모양과 색깔, 향기를 가진다. 어떤 성격이든지 그 성격의 특성을 충분히 살려서 훌륭한 맛을 내면 된다.

사람은 누구나 타고난 성격이 있다. 타고난 성격을 존중하여 잘 발전시키면 고유한 재능을 키워줄 수 있다. 자신의 성격을 제대로 파악할 때 자신의 인성과 재능을 꽃피울 수 있고, 인간관계에도 행복이 찾아온다.

성격을 이해하면 자기 삶의 목표를 결정한다. 가장 흥미롭고, 즐겁고, 만족감을 줄 수 있는 교육과 직업을 선택할 수 있다. 배우자, 가족, 고용인, 동료 등 자기 삶에서 만나게 되는 중요한 사람들과 어떻게 관계하는가를 배운다.

자기 이해를 통해 타인을 이해할 수 있다. 나를 알면 상대방이 나와 어떻게 다른지를 알 수 있다. 다른 것은 문제가 아니다. 성격이 '좋다 나쁘다'로 보기보다는 '나와 맞다, 안 맞는다'로 볼 수 있다.

타인 이해는 타인에게 라벨링을 붙인다는 의미가 아니다. '너는 F라서 그래.'라기 보다는 '네가 F이기 때문에 나름의 이유가 있다.'라고 대하는 자세다. 서로의 다른 점을 이해하면 어떤 행동에 대해 꼬리표를 달지 않는다. 서로 다른 욕구를 인정하면 훨씬 인간관계가 편해지고 갈등도 줄어든다.

각 성격에는 유형별로 개성이 있다. 타고난 성격을 잘 이해하려면 4가지 선호 지표를 잘 이해해야 한다. 네 가지 선호성향은 자기를 이해하는 객관적인 지표가 된다. 자기 이해에는 자기 생각과 감정, 행동이 포함된다. 내가 행동하는 심리의 이유를 이해하는 기반을 마련해준다. MBTI 16가지 성격 유형은 결국 이 네 가지 선호성향을 기본으로 조합을 한 결과이다.

사람들은 성격유형에 따라 가치관을 포함하여 다르게 살아가고 있다. 다양성을 인정한다면 좀 더 편하게 살 수 있다. 남을 판단하면서 미워하는 에너지를 줄이기 때문이다. 행복은 그리 멀리 있지 않다. 나는 사랑하는 사람과 함께 음식을 먹으면서 대화를 나누고 교감할 때 친밀감을 느낀다. 친밀감은 행복 감성을 준다. 타인의 모습을 이해하고 인정할 때 친밀감은 시작된다.

성격의 차이

성격의 다양성은 다양한 원인에 의해 형성된다. 유전적인 요소, 환경적인 영향, 성격을 형성하는 초기 경험 등이 섞여서 개인의 고유한 성격이 형성된다.

성격의 차이점으로 첫째, 행동 방식이 다르다. 어떤 사람들은 활동적이고 사교적인 성향을 보인다. 어떤 사람들은 조용하고 내성적인 성향을 보이고 있을 수도 있다.

둘째, 감정 표현이 다르다. 어떤 사람들은 감정을 솔직하게 표현하고 다른 사람들과 소통하는 데 능숙하다. 어떤 사람들은 감정을 내부에 숨기거나 감추는 경향이 있다.

셋째, 의사결정 방식이 다르다. 어떤 사람들은 논리적으로 판단하고 분석적으로 의사결정을 내린다. 어떤 사람들은 감정적인 요소를 고려하여 의사결정을 내린다.

넷째, 인간관계의 양상이 다르다. 어떤 사람들은 인간관계를 중요시하고 즐긴다. 어떤 사람들은 개인적인 시간과 공간을 중요시하며 독립적인 생활을 선호한다.

성격의 다양성은 사회를 다양하고 풍요롭게 만들어준다. 서로 다른 성격을 이해하고 존중하는 것은 대인관계와 소통력을 높인다.

외향 Extraversion　　내향 Introversion

말로 표현
vs
글로 표현

적극적 행동
vs
적극적 사색

감각 Sensing　　직관 iNtuition

오감에 의한 실태파악
vs
육감에 의한 가능성과
의미 추구

현실을 있는
그대로 본다
vs
미래의 가능성을
본다

사고 Thinking　　감정 Feeling

논리적, 분석적
vs
상징적, 포괄적

객관적 판단
vs
주관적 공감

판단 Judgement　　인식 Perception

주어진 상황을 통제
vs
주어진 상황에 적응

규칙적인
vs
탄력적인

<코칭 질문>

1. 지금의 나는 내가 되고 싶은 그런 사람인가?

2. 오늘 내가 저지른 실수는 무엇이었고, 그것을 통해 무엇을 배웠나?

3. 오늘 내가 감사하게 생각한 것은 무엇인가?

- 롤리 다스칼

성격의 다름을 이해하는 법

1. 자기 분석을 한다. 일기나 자기반성 시간을 통해 행동, 성향, 감정 등을 통해 자신의 성격 유형을 분석한다.

2. 타인과의 소통과 피드백을 한다. 다른 사람들의 관찰과 평가를 통해 자신의 성격을 더 잘 이해할 수 있다.

3. 독서와 연구를 한다. 성격 심리학과 관련된 도서나 연구, 이론을 탐구해본다. 성격에 대한 깊은 이해를 얻을 수 있다.

4. 행동 관찰을 한다. 일상생활에서 자기 행동과 반응을 주시하면서 어떤 상황에서 어떻게 반응하는지를 관찰하는 것도 성격을 이해하는 데 도움이 된다.

5. 전문가와 상담한다. 심리학자나 상담가와의 상담을 통해 더 깊은 통찰력을 얻을 수 있다.

3 넷 곱하기 둘(4가지 선호성향)

4가지 선호성향 쉽게 이해하기

MBTI로 성격유형을 알고 싶으면 선호성향 4가지를 이해해야 한다. 선호성향 4개는 4x2=8로 풀면 간단하고 쉽다. 4x2=8이나 4개를 2개씩 묶으면 4개이다. 선호성향과 반대 성향 2개를 동시에 보면 16가지 성격유형을 간파할 수 있다. 4가지 선호성향을 조합해서 16가지 성격유형이 나온다. (4X4=16) 나의 성격유형은 4가지 선호 중 나의 선호성향을 알고 이해하면 나온다.

나의 성격은 왼손잡이일까 오른손잡이일까?

외향(E)/내향(I)	주어진 상황에서 사람들이 무엇에 주의를 기울이는가? (주의 초점)
직관(N)/감각(S)	외부로부터 정보를 어떻게 수집하는가? (인식 과정)
사고(T)/감정(F)	정보에 근거해서 결정을 내리는 판단기능은 무엇인가? (판단 과정)
판단(J)/인식(P)	판단하고 결정한 것에 관해서 어떻게 행동을 내리는가? (생활양식)

외향

외부세계, 환경, 행동에 초점을 맞춘다
외향을 선호하는 사람은 타인과 함께
하고, 여러 활동을 통해서 에너지를
받는 경향이 있다.

내향

관심은 아이디어, 내적인 세계, 내적
경험, 깊은 숙고다.
홀로 생각하면서 시간을 보낼 때 가장
많은 에너지를 얻는 경향이 있다.

감각

최근의 정보를 과거의 정보와 연결
회사의 비전과 사명을 현실화하고,
일상의 업무에서 구현되는지 명확히
한다. 직원의 기대가 무엇인지 구체
적으로 명시하기

직관

정보를 개념이나 큰 그림으로 제공.
미래의 비전을 강조한다.
매일의 일상적인 일에 대한 구체적
인 지침이 거의 없다.

감정

관련된 사람을 초청하여 지지와 가
치를 부여한다. 정책과 관련하여,
기본적인 가치를 논의한다. 직원에
게 미치는 영향을 인식하고, 함께
일한다.

사고

정보를 논리적인 분석 형태로 전달
논리적인 근거를 강조한다.
가치나 사람에게 미치는 영향에 대
한 언급이 없다.

인식	판단
진행 과정과 변화를 위한 시간 때문에, 최종결정 전에 의사소통을 한다. 계획과 일정에 유연성을 부여함. 새로운 정보에 대해서 개방성을 유지한다.	정보를 결정한 후에 제시한다. 목표, 계획, 구조를 강조한다. 진행 과정이나 유연성의 측면에서 여지가 거의 없다.

'행복을 나르는 버스' (그림책)

이 책에 할머니와 시제이의 대화가 나온다. 시제이는 비가 내리자 시제이가 할머니에게 비가 왜 이렇게 많이 오냐고 물었다. 할머니는 나무가 목이 말라서 굵은 빨대로 비를 빨아 마시고 있다고 대답한다. 시제이는 나무를 보았으나 빨대가 안보인다고 한다.

시제이는 버스의 시각장애인 아저씨를 보고 아저씨는 왜 보지 못하냐고 할머니에게 묻는다. 할머니는 세상을 눈으로만 보는 건 아니고 귀로도 본다고 대답한다. 시각장애인은 코를 통해서 세상을 본다고 하면서 할머니의 향수에 대해서 말한다.

시제이와 할머니가 버스를 타고 도착한 장소에서 시제이는 여기는 왜 이렇게 지저분하냐고 말한다. 할머니는 아름다운 것은 어디에나 있는데 잘 못느낄 뿐이라고 말한다. 하늘에는 무지개가 보였다. 대화를 통해서 두 사람의 인식을 알 수 있다. 할머니가 직관이고 손자인 시제이가 감각임을 알 수 있다.

<MBTI 선호 네 가지 지표>

외향(E)/내향(I)	세상과 상호 작용하는 방식과 에너지를 발휘하는 방향
직관(N)/감각(S)	선천적으로 주목하는 정보의 종류
사고(T)/감정(F)	의사 결정 방식
판단(J)/인식(P)	조직화된 방식 선호 또는 자발적인 방식을 선호하는가?

외향(E) - 내향(I)

외부 세계에 관심을 가지며 사람들과 함께 시간을 보낸다. 파티나 사교 모임에서 에너지를 얻는다. 사람들과 대화하고 활동에 참여하는 것을 즐긴다.

내부 세계에 집중하며 혼자서 시간을 보낸다. 조용한 환경에서 시간을 보낸다. 독서, 사색, 혼자서의 관심사와 취미에 더 많은 시간을 할애한다.

직관(N) - 감각(S)

추상적이고 이론적인 아이디어와 가능성에 관심을 가진다. 비전과 아이디어를 통해 문제를 해결한다. 패턴을 파악하고 심층적인 의미를 추구하는 경향이 있다.

현실적이고 구체적인 사실과 경험에 관심을 가진다. 현실적인 세부 사항과 경험을 중시한다. 실제로 일어나는 일에 초점을 맞추고 구체적인 사실에 의존하여 문제를 해결한다.

사고(T) - 감정(F)

논리와 분석을 통해 결정을 내린다. 문제 해결을 위해 논리적인 분석과 객관적인 판단을 사용한다. 감정의 영향을 최소화하고 합리적인 결정을 내리려고 한다.

감정과 가치에 의존하여 결정을 내린다. 자신의 가치와 다른 사람들의 감정에 근거하여 결정을 내린다. 타인의 감정을 고려하고 상호 의사소통을 통해 결정을 내린다.

판단(J) - 인식(P)

구조와 계획을 선호한다. 일정과 계획에 따라 일하는 것을 선호한다. 목표를

유연성과 적응력을 선호한다. 유연성을 유지하고 새로운 가능성을 탐색하는

설정하고 조직적인 방식으로 일을 처리 것을 선호, 상황에 따라 적응하며 결정
한다.   을 미룬다.

'모자를 보았어'(그림책)

거북이 두 마리가 사막에서 한 개의 모자를 보았다. 세모무늬 거북과 네모무늬
거북은 모자가 하나이고 우리는 둘임을 인식한다. 서로 모자를 차례로 써 보고는
다음처럼 말한다.

"우리 둘 다 어울려.

그런데 우리 둘 중 하나만 모자를 갖고 하나는 못 가지면 마음이 안 좋을거야."

감정형 세모무늬 거북과 감정형 네모 무늬 거북이가 할 수 있는 말이다. 거북이
는 둘 다 감정형으로 보인다. 감정형은 갈등보다는 조화를 추구한다.

<4가지 선호성향 더 이해하기>

내가 자연스럽게 사용하는 선호성향과 함께 반대 성향도 상황에 따라 적절히
사용하자. 양손과 양발을 사용한다면 필요할 때 큰 유익이 된다. 두 선호성향을 자
유자재로 사용할 때 놀라운 성장과 발전이 따라올 수 있다.

외향(E)/내향(I)	사람들과의 관계를 어떻게 맺는지에 대한 선호도
직관(N)/감각(S)	정보 수집과 해석 방식에 대한 선호도
사고(T)/감정(F)	결정과 판단의 기준을 어떻게 세우는지에 대한 선호도
판단(J)/인식(P)	생활을 어떻게 조직하고 결정하는지에 대한 선호도

1. 외향형(왼쪽)과 내향형(오른쪽)의 특징

타인과 함께 있을 때 활력을 얻는다.	홀로 시간을 보낼 때 활력을 받는다.
관심의 집중을 받기 원한다.	생각하고 그 다음에 행동한다.
생각보다 행동이 앞선다.	관심의 집중을 피한다.
생각을 밖으로 드러낸다.	머릿속에서 생각한다.
눈에 잘 띄고 친해지기가 더 쉽다.	좀 더 개인적이다.
개인 정보를 자유롭게 공유한다.	개인 정보를 소수의 사람과 나눈다.
듣기보다는 말을 많이 한다.	깊이를 선호한다.
열정적으로 의사소통한다.	생각을 밖으로 드러내는 데 시간이 걸린다.
빠르게 대응하고, 빠른 속도를 즐김.	
깊이보다 넓이를 선호한다.	

2. 감각형(왼쪽)과 직관형(오른쪽)의 특징

확실하고 구체적인 것을 신뢰한다.	영감과 추론을 신뢰한다.
현실에서 응용할 새로운 생각 좋아함.	새로운 생각과 개념 자체를 좋아한다.
현실과 상식을 중시한다.	상상과 혁신을 중시한다.
이미 검증된 기술을 사용하고 다듬기	새로운 기술을 배우는 것을 좋아한다.
구체적이고 문자에 충실한 경험 있다.	기술을 익히면 쉽게 싫증 낸다.
과거와 현재를 지향한다.	일반적이고 비유적인 성향을 띠고 은유와 비유를 사용한다. 미래를 지향.
자세한 처방을 제공한다.	비약적으로 정보를 제공한다.

3. 사고형(왼쪽)과 감정형(오른쪽)의 특징

문제를 사무적으로 분석한다.

모든 일에 한 가지 기준을 적용한다.

진실한 것만큼 요령 있는 것도 중요

단점을 보고 비판적인 경향이 있다.

성취 욕구로 동기부여를 받는다.

감정이 논리적일 때 의미가 있다.

차갑고, 무뚝뚝하고, 무관심해 보임.

논리, 정의, 공정함을 중요시한다.

한 걸음 물러서서 행동을 고려한다.

공감과 조화에 가치를 둔다.

규칙의 예외를 인정한다.

요령 있는 것보다 진실한 것이 중요

타인을 기쁘게 해 주고 싶어 한다.

쉽게 감사를 표시한다.

인정받고자 하는 욕구로 동기 부여됨

논리와 떨어져도 감정은 의미가 있다.

감상적, 비논리적이며 심약해 보임.

한 걸음 다가서서 행동을 고려한다.

4. 판단형(왼쪽)과 인식형(오른쪽)의 특징

결정을 내린 후에 가장 만족한다.

먼저 일하고 나중에 논다.

결과를 중시한다.

목표를 정하고 달성하기 위해 일함.

임무를 완수하는 것을 강조한다.

시간을 한정된 자원으로 보고 마감 시간을 고려한다.

일을 끝내는 것에 만족감을 얻는다.

선택을 남겨 두었을 때 만족한다.

현재를 즐기고 일은 나중에 마무리

과정을 중시한다.

새로운 정보를 접하면 목표를 수정.

일이 수행된 방식을 강조한다.

시간을 바뀌는 자원으로 보고 마감 시간을 탄력적으로 생각한다.

일을 시작하는 데서 만족을 얻는다.

외향Extraversion　내향Introversion

시키지 않아도
이야기한다
vs
시켜도 잘
이야기 하지 않는다

소모에 의한
에너지 충전
vs
비축에 의한
에너지 충전

감각 Sensing　직관 iNtuition

정확한 정보처리
vs
비약적 정보처리

나무를 보려는 경향
vs
숲을 보려는 경향

사고 Thinking　감정 Feeling

머리로
이해되어야 한다
vs
가슴으로
느껴져야 한다

객관적인 진실 추구
vs
공동의 조화 추구

판단 Judgement　인식 Perception

분명한 목적의식
vs
목적과 방향은
변화가능

정리정돈과 계획
vs
상황에 맞추는 융통성

<코칭 질문>

1. 오늘 내가 한 일이 내 삶의 목표와 부합했는가?

2. 오늘 내가 버려야 할 할 나쁜 습관은 무엇인가?

3. 오늘 나를 동기 부여시킨 일은 무엇인가?

-롤리 다스칼

성격을 알면 유익한 점

1. 자기 이해는 자신을 인정하고 받아들이는 데 도움을 준다.
2. 의사소통을 개선한다.
3. 대인관계를 개선할 수 있다.
4. 성격과 성향에 맞는 진로 선택에 도움을 얻을 수 있다.
5. 조직 내에서의 성과 향상에 이바지한다.
6. 갈등 관리를 돕는다.
7. 개인 발전과 자기 향상을 돕는다.

4 나의 발견(1)

나의 MBTI 유형은 무엇인가?

선천적으로 선호하는 경향성(preference)이란 무엇인가?

-내가 더 지속적이고 일관성 있게 활용한다.

-상대적으로 더 쉽게 끌린다.

-습관처럼 편안하고 자연스럽다.

-내가 더 자주, 더 많이 쓴다.

-내가 더 좋아하는 쪽이다.

-내가 편하고 쉬운 쪽이다.

MBTI는 좋고 나쁨이나 맞고 틀림이 없다. 인성의 성숙 정도나 도덕성 수준과는 상관이 없다. 학업능력이나 IQ와 상관이 없다. 자기 보고식으로 자신이 자신을 표시한다. 비 진단검사로 판단하거나 평가하지 않는다. 타고나는 선천적인 선호 경향성을 검사한다. 손깍지와 팔짱을 낄 때 나에게 편한 방향으로 자연스럽게 가는 것과 마찬가지다.

탈 신분과 탈 직분을 해야 자연스러운 나, 원래의 나를 알 수 있다. 이는 내가 되고 싶은 나, 집에서의 나, 직장에서의 나, 부모가 바라던 나가 아니다. 깊이 생각하지 말고 떠오르는 대로 표시하면 된다. 내가 원하고 끌리는 부분에 표시한다.

<나의 선호성향은?>

외향형 vs 내향형

외향형(E)은 외적 세계를 지향한다. 사람과 대상 등 외부 세계에서 일어나는 것에 의해 에너지를 얻게 된다. 외부 세계가 당신의 에너지가 지향하는 방향이 된다. 세상을 이해하기 위해서 외적 경험이 필요하다. 먼저 행동으로 체험하려는 경향이 있다. 활달해 보이고 활동적으로 보인다.

내향형(I)은 내적 세계를 지향하므로 개념이나 사상 등 내부 세계에 초점을 둔다. 내면세계에서 일어나는 것에 의해 에너지를 얻게 된다. 당신의 에너지가 지향하는 방향이 된다. 업무가 생각을 하는 활동을 요구할 때 흥미와 편안함을 느낀다. 세상을 직접 경험하기 전에 먼저 생각 속에서 이해하려고 한다.

E와 I 둘 중 하나를 표시하세요.

E	I
말을 하다 보니 실수할 때가 있다 □	말이 없어 주변 사람들이 답답해할 때가 있다 □
새로운 사람을 만나면 기분이 좋아진다 □	모르는 사람을 만나는 일이 피곤하다 □
어떤 일에 대해 말하는 도중에 생각하고 대화 도중 결심할 때가 있다 □	어떤 일에 대해 의견을 말하기에 앞서 신중히 생각하는 편이다 □
팀으로 일하는 것이 편하다 □	혼자 혹은 다른 사람 한 명 정도와 일하는 것이 편하다 □
생각이나 견해를 다른 사람들에게 표현하는 것을 좋아한다 □	대체로 생각을 내 안에 간직하는 편이다 □
회의나 모임이 끝나면 말을 너무 많이 한 것 같아 후회한다 □	회의나 모임이 끝나면 생각을 이야기하지 않은 것을 후회한다 □
오랜 시간 혼자 일하다 보면 외롭고	혼자 오랜 시간 일해도 외롭거나 지

지루하고 힘들다 ☐	루하지 않다 ☐
일할 때 적막한 것보다는 어느 정도의 소리가 자극되기도 한다 ☐	시끄러운 환경에서 일을 제대로 할 수 없다 ☐
말이 빠르고 목소리가 큰 편이다 ☐	목소리가 작고 조용하게 말한다 ☐
나는 활동적인 편이다 ☐	나는 집에 있는 것이 편하다 ☐
개수 ( )	( )

E와 I 중에서 더 많은 √표가 있는 것을 써 봅시다.

나의 에너지 방향은?　　(　　　　)

감각형 vs 직관형

감각형(S)은 자신의 내적, 외적 세계에 무엇이 존재하는가? 그것들이 어떻게 발생하는가에 대한 정보를 오관(다섯 가지 감각 기관. 눈, 귀, 코, 혀, 피부)에 의존하여 받아들인다. 상황의 실체를 이해하는 데 유용하다. 무엇이 현재 이 상황에 주어졌는가를 수용하고 처리하는 경향이 있기에 현실적이고 실용적인 특징을 지닌다.

직관형(N)은 육감에 의존하여 정보를 얻어낸다. 사실적 정보의 차원을 넘는 가능성이나 드러나지 않는 의미와 전체적인 관계에 관심이 있다. 전체를 파악하고 새로운 일 처리 방식을 추구한다. 상상력과 영감에 가치와 비중을 둔다. 현재에 머물기보다 미래의 성취와 변화, 다양성을 즐기고 전체를 보기 위해 세밀한 사항은 간과하는 편이다.

S와 N 둘 중 하나를 표시하세요.

S	N
나는 현실적이다　　　☐	나는 미래지향적이다　☐
나는 과거의 경험으로 판단한다.☐	미래의 가능성으로 판단 한다 ☐

나는 사실적 표현을 잘 한다 ☐	나는 추상적 표현을 잘한다(사실이나 현실에서 먼 막연하고 일반적인) ☐
나는 구체적이다 ☐	나는 은유적이다(사물의 상태나 움직임을 암시적으로 나타내는) ☐
나는 상식적이다 (보통 사람들이 아는 것을 아는) ☐	나는 창의적이다 ☐
나는 갔던 길로 가는 것이 편하다 ☐	나는 새로운 길이 재미있다 ☐
한번 간 길도 잘 기억하는 편이다 ☐	한번 간 길을 잘 기억하지 못하는 편이다 ☐
집안일을 잘할 줄 아는 편이다 ☐	나는 집안일이 서투르다 ☐
나는 실제 경험을 좋아한다 ☐	나는 공상을 좋아 한다 ☐
나는 부지런하고 성실한 편이다 ☐	나는 기발하고 엉뚱한 편이다 ☐
개수 ( )	( )

S와 N 중에서 더 많은 √표가 있는 것을 써 봅시다.

나의 인식기능은? ( )

사고형 vs 감정형

사고형(T)은 선택이나 행동에 대한 논리적인 결과들을 예측하여 의사를 결정한다. 사고기능을 활용하면 객관적인 판단기준에 근거하여 정보를 분석, 비교한 의사결정에 따른다. 무엇이 진실한가에 관심이 많으며, 가치보다는 무엇이 옳은지 그른지 객관적인 기준과 공정성을 중시하는 편이다.

감정형(F)은 무엇이 중요한지에 초점을 둠으로, 인간중심의 가치로 결정을 내린다. 의사결정 시 객관적인 기준보다는 자신이 어떤 가치를 중시하느냐가 중요하다. 결정이 사람에게 어떤 영향을 주는가에 집중하게 된다. 객관적인 진리보다는 선을 선호하고, 인간관계에 조화를 중시하며 열정이 많은 편이다.

T와 F 둘 중 하나를 표시하세요.

T	F
나는 분석적이다 ☐	나는 감수성이 풍부하다 ☐
모든 일에 주로 객관적이다 ☐	모든 일에 주로 공감적이다 ☐
감정에 치우치지 않고 의사결정을 한다 ☐	상황을 생각하며 의사결정을 한다 ☐
이성과 논리로 행동한다 ☐	가치관과 느낌으로 행동한다 ☐
능력 있다는 말을 듣기 좋아한다 ☐	따뜻하다는 소리를 듣기 좋아한다 ☐
경쟁하는 편이다 ☐	양보하는 편이다 ☐
직선적인 말이 편하다 ☐	배려하는 말이 편하다 ☐
사건의 원인과 결과를 쉽게 파악한다 ☐	사람의 기분을 쉽게 파악한다 ☐
사람들이 차갑다고 하는 편이다 ☐	사람들이 따뜻하다고 하는 편이다 ☐
나는 할 말은 한다 ☐	나는 좋게 생각하는 편이다 ☐
개수 ( )	( )

T와 F 중에서 더 많은 √표가 있는 것을 골라서 써 봅시다.

나의 판단기능은? (   )

판단형 vs 인식형

판단형(J)은 생활을 조절하고 통제하면서 계획을 세우고 질서 있게 살아간다. 판단기능을 쓸 때는 결정하고, 일에 종결을 짓고, 일을 수행하는 것을 좋아

인식형(P)은 상황에 맞추어 적응하며, 자율적으로 살아간다. 사람을 통제하기보다는 이해한다. 다양하게 경험할 수 있도록 개방적이다. 다양한 기회와 조

한다. 구조화되고 조직화하고 일이 정 착되는 것을 선호한다. 계획에 따라 일을 추진하고 미리 준비하고, 정한 기간 내에 일을 마무리 짓는 편이다. 직되어 있지 않은 상황에도 적응한다. 모든 경험에 열려 있고 시간 내 일을 못 할 때도 있으나, 스스로 상황에 대처해 나간다.

J와 P 둘 중 하나를 표시하세요.

J	P
결정을 잘 변경하지 않는다 □	결정에 대해서 융통성이 있다 □
계획에 의해서 일 처리를 한다 □	일 처리를 마지막에 벼락치기로 하는 편이다 □
나는 계획된 여행이 편하다 □	갑자기 떠나는 여행이 재미있다 □
입장과 결정에 대해 명확하게 언급하는 것을 좋아한다 □	변화의 가능성을 두고 자신의 입장을 임시적인 것으로 간주한다 □
조직적인 분위기가 일이 잘 된다 □	즐거운 분위기에서 일이 잘 된다 □
계획을 잘 세우고 조직적이다 □	나는 순발력이 있다 □
나는 규범을 좋아한다 □	나는 자유로운 것을 좋아한다 □
나는 일할 때 친해진다 □	나는 놀 때 친해진다 □
책상은 물건 정리가 잘 되어있다 □	책상은 물건이 어질러져 있다 □
무엇을 공부해야 할지 자세히 가르쳐 주시는 선생님이 좋다 □	스스로 공부할 것을 선택하도록 맡기시는 선생님이 좋다 □
개수 ( )	( )

J와 P 중에서 더 많은 √표가 있는 것을 골라서 써 봅시다.

나의 생활양식은? (   )

E와 I, S와 N, T와 F, J와 P 중에서 더 많은 √표가 있는 것을 골라서 써 봅시다.

MBTI 나의 유형 (   ) (   ) (   ) (   )

<4가지 선호 성향 제대로 찾기>

내가 어떤 선호 경향인지 헷갈린다면 어떻게 해야 할까? 나의 성격유형을 확실히 모르겠다는 말은 선호성향의 의미를 잘 모른다는 말과 비슷하다. 다양한 설명을 했으니 잘 참고하기를 바란다.

0을 기준으로 한다. 여기서 -와 +는 반대의 성향을 의미한다.

각 선호 성향에 질문을 제시했다. '나는 어떠한가?'

나는 오른쪽과 왼쪽 중 어느 지점쯤인지를 정해서 점을 찍는다.

1. 내향형/ 외향형 : 에너지의 방향 I(Introversion) / E(Extroversion)

  @ 어디에 주의를 기울이나요?

세상과 상호 작용하는 방식과 에너지를 발휘하는 방향.

삶의 에너지 방향성, 에너지를 충전하는 방식의 차이.

어떤 사람은 내성적이고, 어떤 사람은 활발하다.

0을 기준으로 +쪽이라면 내향형을 더 선호한다고 추측할 수 있다.

반대로 0을 기준으로 -쪽이라면 외향형을 더 선호한다고 추측할 수 있다.

외향형(E)   내향형(I)

2. 감각형/직관형 : 정보의 수집   N(Intution) / S(Sensing)

   @ 어떻게 정보를 수집하나요?

선천적으로 주목하는 정보의 종류.

정보를 받아들이고 해석하는 방식의 차이.

어떤 사람은 상상력이 풍부하고, 어떤 사람은 현실 감각이 뛰어나다.

0을 기준으로 +쪽이라면 직관형을 더 선호한다고 추측할 수 있다.

반대로 0을 기분으로 -쪽이라면 감각형을 더 선호한다고 추측할 수 있다.

감각형(S)   직관형(N)

3. 사고형/감정형 : 판단과 결정   T(Thinking) / F(Feeling)

   @ 무엇에 근거해 정보를 판단하나요?

의사결정 방식.

의사결정을 할 때 어느 부분에 더 중점을 두는지의 차이.

어떤 사람은 이성적이고, 어떤 사람은 정서적이다.

0을 기준으로 +쪽이라면 감정형을 더 선호한다고 추측할 수 있다.

반대로 0을 기분으로 -쪽이라면 사고형을 더 선호한다고 추측할 수 있다.

사고형(T)   감정형(F)

4. 판단형/인식형   행동 양식   J(Judging) / P(Perceiving)
   @ 어떤 식으로 판단 내린 결과를 행동에 옮기나요?

생활양식의 차이

조직화한 방식을 선호하는가 아니면 자발적인 방식을 선호하는가?

어떤 사람은 정리와 계획에 능숙하고, 어떤 사람은 유연하게 행동한다.

0을 기준으로 +쪽이라면 인식형을 더 선호한다고 추측할 수 있다.

반대로 0을 기분으로 -쪽이라면 판단형을 더 선호한다고 추측할 수 있다.

판단형(J)   인식형(P)

♣ MBTI 나의 유형 (   )

나의 유형 모습을 그림으로 그려보세요.(캐릭터나 동물 등.)

그림의 제목:

그림을 말과 글로 설명해 보세요.

♣ 나의 유형 특성 중에서 가장 마음에 드는 강점 3가지는?

(,   ,   )

(1) 나의 유형이라고 생각하는 이유는 무엇인가?

(2) 나의 유형에서 좋은 점은 무엇인가?

(3) 나의 유형에서 싫은 점은 무엇인가?

♣ 이 책을 읽으면서 느낀 점은 무엇인가?

♣ 나의 성장을 위해 실천할 점은 무엇인가?

<코칭 질문>

1. 내가 원하는 결과는 무엇인가?

2. 비전은?

3. 진정으로 원하는 것은?

4. 현재 상황은?

5. 문제의 본질은?

6. 대안은?

7. 대안으로 사용할 수 있는 자원은 무엇인가?

8. 방해 요소는?

9. 실행 의지는?

10. 실행전략과 계획은?

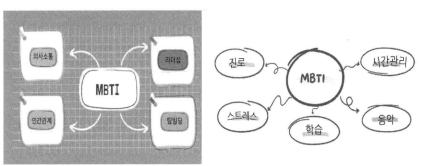

2부. 알아가다

1. 4가지 기질에 대하여

성격 기질 전문가인 데이비드 커시(David Keirsey) 박사는 성격을 네 가지 기질로 나누었다. 사람들의 기질을 대화하는 방식과 원하는 결과를 위하여 어떤 태도로 행동하는가로 분석했다.

사실적인 대화를 하는 사람들을 '구체적인 사람'(Concrete)으로 불렀다. 구체적인 사람들은 오감을 사용해서 주변의 상황을 있는 그대로 바라보기 때문에 현실적으로 대화하는 사람이다. 이 기질은 전통주의자다.

아이디어를 비유적으로 말하는 사람들을 '추상적인 사람'(Abstract)로 구분했다. 추상적인 사람은 오감 뿐 아니라 육감도 사용하기 때문에 사실보다는 의미를 기억하고 비유적인 단어를 사용하여 대화한다. 이 기질은 합리주의자, 즉 관념주의자다.

원하는 것을 얻으려는 태도에 따라 '실용적인 사람'(Utilitarian)과 '협력적인 사람'(Coopreative)으로 나누었다. 실용적인 사람은 결과를 과정보다 중요시한다. 일을 하는 방법보다는 어떻게 해서든지 그 일을 해내려고 한다. 이 기질은 경험주의자이다.

협력적인 사람들은 과정을 결과보다 중요시한다. 규칙을 지키면서 일한다. 함께 일하는 사람들과의 관계 유지에 노력한다. 이 기질은 이상주의자다.

　이렇게 구체적인 사람(전통주의자)과 추상적인 사람(관념주의자), 실용적인 사람(경험주의자)과 협력적인 사람(이상주의자)을 나누면 네 가지 기질로 분류된다. 커시 박사의 네 가지 기질은 성격적 특징과 일할 때 말과 행동의 차이를 뚜렷하게 보여준다.

4가지 기질 용어	8가지 지표	특성
전통주의자(Guardian)	SP(감각형+인식형)	관리자형, 의무 중시
경험주의자(Artisan)	SJ(감각형+정리형)	행동가형, 자유분방
합리주의자(Rational)	NT(직관형+사고형)	전략가형, 관념주의자, 완벽 추구
이상주의자(Idealist)	NF(직관형+감정형)	이상가형, 자아를 찾고자 함

＜나의 기질을 찾아라＞

1, 전통주의자-정리정돈의 귀재
현실적이고, 책임감이 강하다.
진지하고 형식을 중시한다.
깔끔한 옷차림과 헤어스타일

전통주의자 4가지 유형
(SJ, STJ, SFJ-/ ESTJ, ISTJ, ISFJ, ESFJ)
　책임감이 강하고 신중한 ISTJ

명확하고 직설적으로 말한다.

안정된 직장을 선호한다.

신체 활동을 즐긴다.

2. 경험주의자-위기의 해결사

자유롭고 현실에 충실하다.

느긋하고 현재를 중요시한다.

편한 복장을 좋아한다.

토론보다 오락이 즐겁다.

행동이 민첩하고 유연하다.

일을 즐기며 자유로운 직업을 선호함.

게임과 스포츠를 즐기는 만능 재주꾼

3. 합리주의자-비전의 사람
관념주의자

독립적이고 미래지향적이다.

자신감 있고 분석적이다. 은유와 비유를 좋아한다.

겉모습을 통해 지위를 과시한다.

지적인 연구와 성취에서 만족감을 느낀다.

늘 배우려 하고 혼자 하는 게임을 즐긴다.

충실하고 헌신적인 ISFJ

논리적이고 정열적인 ESTJ

조화와 협동을 추구하는 ESFJ

경험주의자 4가지 유형

(SP, STP, SFP-/ ESTP, ISTP, ISFP, ESFP)

신중하고 독립적인 ISTP

겸손하고 너그러운 ISFP

도전을 즐기는 ESTP

사교적이고 호기심 많은 ESFP

관념주의자 4가지 유형

(NT, NTJ, NTP-/ ENTJ INTJ INTP ENTP)

지적이며 독립적인 INTJ

분석적이며 창의적인 INTP

매력과 카리스마가 넘치는 ENTP

체계적이며 헌신적인 ENTJ

4. 이상주의자-사람을 보는 사람

예술가의 혼을 지녔다. 생각에 몰두한다.

상황에 맞추지만 격식에 얽매이지 않는다.

개인적인 관심사를 화제로 삼는다.

몸짓이 어리숙해 보인다.

개인적인 의미나 가치를 지닌 일을 좋아한다.

이상주의자 4가지 유형

(NF, NFJ, NFP-/ ENFJ INFJ INFP ENFP)

신중하고 창의적인 INFJ

세속에서 벗어나 신념을 추구하는 INFP

사교적이고 독창적인 ENFP

우호적이며 논리정연한 ENFJ

<4가지 기질별 욕구-나를 움직이는 힘은?>

1. 전통주의자-소속감과 책임감

소속감-모임이나 단체, 조직에 소속. 모임이나 관계를 중시

안정감-자신이 옳다고 생각하는 방법으로 열심히 주변을 정리.

완벽 추구.

책임감-의무수행 욕구 때문에 열심히 일한다.

비판 안하고 칭찬하기를 훈련한다.

(SJ, STJ, SFJ-/ ESTJ, ISTJ, ISFJ, ESFJ)

지킬 건 지키자.

가정은 소속감을 얻는 중요한 공동체이다.

내 잔소리는 사랑의 속삭임이란 말이야.

안정제일주의자. 약속부터 지키는 책임 의식,

2. 경험주의자-자유로움과 재미

하고 싶을 때 얼른 해야 한다구. 충동에 그때그때 반응. 충동구매. 가장 훈련해야 할 덕목은 절제다.

좋아하는 사람들을 기쁘게 해주고 반응을 기대한다.

재미와 흥미를 느끼고 싶다. 일과 공부가 재미있어야 한다. 활동적인 내용. 칭찬을 좋아한다.

(SP, STP, SFP-/ ESTP, ISTP, ISFP, ESFP)

일단 해보는 거야.

자유의 욕구를 채우기 위해 자기합리화.

무엇이든지 주고 싶다.

자신이 재미있고 좋아하는 일만 하고 싶다.

3. 합리주의자(관념주의자)
   -성취 욕구와 지적 욕구

성취 욕구-탁월함에 대한 열망. 재능이 중요하고 능력을 키움, 인간관계보다 일 자체에 관심.

탁월하고 싶은 마음을 포기하는 훈련이 필요함.

지식과 정보 탐구 욕구-한계가 없다.

영향력에 대한 욕구-비전을 던지고 독립심이 강하다.

(NT, NTJ, NTP-/ ENTJ INTJ INTP ENTP)

미래에 관심. 전략가형의 관심이 일의 성취, 지식의 습득. 힘에 대한 욕구.

탁월한 비전을 나누고 성취를 주어, 영향을 주고 싶은 욕구.

사람과 관계 맺기 약하다.

정서적 표현보다는 직선적인 표현.

4. 이상주의자– 개성표현과 인정의 욕구

(NF, NFJ, NFP–/ ENFJ INFJ INFP ENFP)

자아실현의 욕구–꿈을 실현하기 원한다. 독특한 개성. 인생에 대한 고민. 신앙인이 많음.

진실의 욕구–일에 대한 완전한 그림을 원한다.

인정의 욕구–중요한 존재로 인정받고 싶은 욕구를 가짐. 가장 힘들게 하는 것은 비판이고 정죄.

자기 자신을 벗어나는 훈련이 필요하다. 인정 안해주어도 받아들여야 자유로워진다.

기질로부터의 자유

남들과 다르게 살고 싶어!

꿈이 밥을 먹여준다. 나를 찾고 싶어.

정체성을 찾고 싶어한다.

행동에서도 높은 윤리적인 기준. 자신과 남에게 진실 요구.

자신을 진심으로 인정하고 공감하는 사람에게 충성을 다한다. 다른 유형이 공감하기 어렵다.

<코칭 질문>

1. 자신의 존재와 행동의 기준이 되는 것은 무엇인가?

2. 어떤 사람으로 기억되기를 원하는가?

3. 무엇을 하고 싶은가?

2 성격유형 발달에 대하여

성격유형과 유형 발달은 서로 긴밀하게 연결되어 있다. 유형 발달은 개인이 자신의 선호성향을 넘어 다른 선호성향의 요소를 발달시키고 통합하는 과정을 의미한다. 이는 성격의 다양성을 인식하고 적극적으로 발전하려는 과정을 말한다. 자신의 특징과 행동에 대한 이해는 자기 인식과 자아정체성의 발달에 큰 역할을 한다.

심리 기능의 주기능과 부기능, 열등 기능이 각각의 역할을 수행하며 발달하게 된다. 선호성향이 발달하면 성숙하고 균형 잡힌 방식으로 자신의 성격을 표현한다. 문제를 해결하며, 학습과 성장을 이룬다.

성격유형이 지향하는 목표는 성격의 약한 부분을 보완하는 균형이다. 내가 가진 성격이 하나의 도구라면 다른 성격을 보완하면 두 개의 도구를 얻게 된다. 주기능을 넘어 부기능을 개발하고, 열등 기능을 극복하여 균형을 이루는 데 초점을 둔다.

이는 개인이 성격의 다양성을 인식하고 자신의 성향을 적절하게 조정하며, 유연하게 상황에 적응할 수 있는 능력을 발달시킨다. 자신의 강점을 더욱 활용하고, 약점을 보완하며, 다양한 상황에서 유연하게 대처할 수 있다.

성격유형 발달의 목표는 인격의 성숙이다. '나는 잘하고 있는데 너는 도대체 뭐 하는 거냐?'고 말하는 사람 앞에서 우리는 상처받는다. 이 사람의

MBTI로 이런 말과 행동 설명을 할 수 있을까? 성격유형보다 유형 발달 상태가 훨씬 중요하다.

유형 발달 상태와 인격의 성숙도는 비례한다. 인격은 요즘 많이 등장하는 인성이다. 인성은 타인을 배려하는 성품을 말한다. 타인에 대한 배려는 말과 태도, 행동에서 드러난다. 타인을 이해하고 맞추려는 태도도 인성에서 나온다. 인성이 있어야 대인관계가 원만하고 삶이 행복하다. 인격적으로 자신이 먼저 성숙해야 그런 사람을 만날 수 있다.

성숙한 사람은 균형 잡힌 태도를 보인다. 우선 나의 4가지 선호성향별 기능에 대해서 이해해야 한다. 반대 성향이 무조건 나은 것은 아니다. 나의 선호성향을 우선 잘 활용하면서 반대유형을 이해하고 보완하려는 자세가 필요하다. 두 성향 사이의 균형은 몸과 마음의 건강에도 도움이 된다. 풍성한 삶과 대인관계, 조직에서의 발전을 위해서는 반대 성향을 이용하면 좋다.

내가 F이면 감정으로 50% 이상 치우쳐서 판단하고 해석할 수 있음을 인정해야 한다. 우리는 T와 F의 균형을 맞추는 성격유형 발달의 단계로 가야 한다. 내가 F라는 것을 강조하고 고집하면서 외골수로 산다면 행복을 놓치게 된다.

활달하고 적극적인 외향형은 내향형의 행동이 답답해서 대담성을 길러야 한다고 생각할 수 있다. 반대로 조용하고 차분한 내향형은 호기심 많고 가만히 있지 못하는 외향형이 불안하여 침착성을 키워야 한다고 생각한다. 상호 보완은 우선 본인의 깨달음에서 출발하면 좋다. 성격에 대해 항상 고려하고 배우려는 자세를 가지는 것이 중요하다. 어떤 선호 경향의 구분보다는 모두 사용하면서 더 풍성한 삶을 누리는 데 목표가 있다.

<청춘 고민 상담소>에서 유인경님은 다음과 같이 말했다.
"세상이 외향적인 성격을 원하니까 그런 척 사는 거죠. 낯을 가린다는 것도 오해

를 많이 사는 성격이죠. 저도 사실 내향적이고 낯을 무척 가려요. 어색한 순간을 못 견뎌서 막 푼수 떠는 거예요. 내향적이라는 건 내가 나를 향해 깊숙이 들어온다는 거지 폐쇄시킨다는 건 아닙니다. 저도 수줍음이 많아서 처음부터 이렇게 뻔뻔하지 않았어요. 사회생활을 하다 보니 내공이 쌓인 거죠.

얼마든지 변할 수 있어요. 노력하면 성격도 바뀔 수 있어요. 사람이 있잖아요. 자기 자신을 '이렇다'고 규정해놓으면 그것처럼 무서운 것도 없어요. '나는 이런 사람이야'라고 족쇄를 채워버리면 그 상태로 끝나요, 규정짓지 말고, 족쇄 채우지 말고 풀어주세요. 적절히 자신을 바꾸는 게 필요해요.”

현실에서 내향이 잘 살기 위해서 외향이 필요함을 실감한다. 성격유형보다 유형 발달 상태가 일상에서 미치는 영향이 크다. 성격유형 발달을 이해하면 날마다 성장의 방향으로 나아갈 수 있다.

사회생활의 적응은 성격유형과 환경과의 상호작용의 이해가 실마리가 될 수 있다. 의식적으로 유형 발달을 위해 계속 노력한다면 이상적인 심리구조 만들기가 가능하다. 자신 유형의 장점을 계발하면서 단점을 극복하기 위한 시도를 해야 한다.

인격의 가성비

엄마가 큰 바늘이 필요하다고 하셔서 다이소에 들렀다. 어느 위치에 바늘이 있는지 종업원에게 물었다. 그리고 바늘을 찾았다. 오른쪽 위에 1,000원이라고 큰 글자로 적혀있었다. '다이소에는 정말 다 있구나'라는 감탄이 절로 나왔다.

게다가 1,000원은 착한 가격이다. 가성비가 좋다. 가격에 대비해서 만족감을 준다. 사람도 가성비가 좋으면 얼마나 좋을까. 외모는 화려하지 않아도 내실이 있는 사람 말이다.

얼마 전에 모파상의 소설 '목걸이'를 독서연구회모임에서 선생님들과 토론했다. '명품백을 갖는 것이 옳으냐'는 주제로 찬반 토론을 했다.

요즘은 10대들도 아이돌의 영향으로 명품을 사려고 한다는 이야기를 들었다. 친구들과 카페에 가서 카드 지갑을 꺼내서 테이블 위에 쭈욱 진열한다고 한다. 그런데 명품이 아닌 지갑을 가진 학생은 꺼낼 수가 없다.

한국 사회에는 어디에는 살아야 하고 무엇을 입어야 하고, 이 정도 가방은 들어야 한다는 체면치레가 존재한다. 나도 자유롭지는 않다. 남의 인정이 나의 자존감에도 영향을 준다.

겉치레를 위해 카드를 긁고 빚을 내서라도 소비하는 문화 속에서 가성비가 있는 사람이 되고 싶다. 싸구려 옷과 가방을 착용해도 내면의 깊은 아름다움을 말과 행동에서 풍기는 사람 말이다. 붐비는 지하철 안에서 한 걸음을 남보다 먼저 가려고 인상 쓰면서 휙 앞지르기보다는 뒷걸음을 치면서 물러서는 여유를 가지고 싶다. 그리고 양보하는 여유가 있는 사람을 만나고 싶다.

심리기능 (Psychological Functions)

성장을 위해서 주기능, 부기능, 3차 기능, 열등 기능을 이해해보자. 사람은 기본적으로 이성과 감정을 동시에 가지고 있다. 신은 두 가지가 모두 필요해서 사람에게 장착하셨다. 심리 기능은 균형을 가지고 발달할 수 있다. 심리 기능, 심리 위계, 유형 발달은 연관되어 있다. MBTI(Myers-Briggs Type Indicator)는 4가지 심리 기능과 그들의 기능 위계를 기반으로 한 성격유형 분류 모델이다.

성격의 심리 기능에는 주기능과 부기능, 3차 기능, 그리고 열등 기능이 있다. 주기능이란 네 가지 기능 중 자신이 가장 편하고 즐겨 사용하는 기능을 말한다. 부기능이란 주기능을 보좌한다. 균형을 유지하기 위해 사용되는 기능이다. 3차 기능이란 자신의 부족한 성격 경향성이다. 열등 기능이란 자신의 내부에는 존재하지만 가장 사용을 하지 않아서 퇴색되어 있는 기능이다. 자신의 열등 기능을 정확히 알면 성장을 위한 도구로 이용할 수 있다. 어려운 문제를 해결할 때도 사용된다.

16가지 성격유형의 주기능과 열등 기능

주기능 > 부기능 > 삼차 기능 > 열등 기능

주기능: 가장 빈번하게 사용하는 기능
부기능: 그다음으로 사용하는 기능
3차 기능: 세 번째로 사용하는 기능
열등 기능: 가장 잘 사용하지 않는 기능

기능 위계 (Function Hierarchy)

MBTI에서는 각 개인이 선호하는 4가지 심리기능을 기반으로 기능 위계를 설정한다. 이는 개인이 어떤 기능을 주로 사용하고 어떤 기능을 부기능으로 사용하는지를 나타낸다. 기능 위계는 각 성격 유형에 따라 다르며, 기능의 우선순위를 정하는데 사용된다. 기능 위계는 개인의 성격 특성과 행동 양식을 이해하는 데에 도움을 준다. 이를 통해 각 유형별로 고유한 특징과 성향을 파악할 수 있다.

(예: ESTJ 유형은 기능 위계에서 외향적 감각(Sensing)과 외향적 사고(Thinking)를 주 기능으로 사용하고, 외향적 직관(Intuition)과 외향적 감정(Feeling)을 부기능으로 사용하는 경향이 있다.)

심리 기능의 위계 찾는 방법

①. 심리 기능의 위계는 인식기능과 판단기능에서 찾는다.

② J, P는 외부 세계에 대처하는 양식이므로 에너지 방향은 일차적으로, 모두 외부(e)가 된다.

　-J(판단형)이면, 판단기능(T or F)을 외부(e)로 사용한다.

　-P(인식형)이면, 인식기능(S or N)을 외부(e)로 사용한다.

③ 상보성(상호보완)의 원리에 의해 유형에 나타나 있는 나머지 기능은 내부(i)로 사용한다.

④ 외향형(E)은 주기능을 회부로 사용하므로 에너지 방향을 외부(e)로 사용하는 것이 주기능이 된다. 내향형(I)은 주기능을 내부로 사용하므로 에너지 방향을 내부(i)로 사용하는 것이 주기능이 된다.

⑤ 그 유형에서 드러난 기능 중에 주기능 외 남은 한 가지 기능이 부기능이 된다.

⑥ 3차 기능은 부기능의 반대지표가 된다.

.⑦ 열등 기능은 주기능의 반대지표가 된다.

3차 기능과 열등 기능을 찾는 방법

주기능과 부기능을 찾아냈으면 다음은 3차 기능과 열등 기능을 찾아내야 한다. 그 방법은 3차 기능은 부기능의 반대유형이 되고, 열등 기능은 주기능의 반대유형이 된다. 유형별 심리 기능은 나중에 나오니 참고하기를 바란다.

ISTJ

I	S	T	J
	주기능	부기능	
	↓	↓	
	N	F	
	열등기능	3차기능	

주기능이 S이고 열등기능이 N일 때 (ISTJ, ISFJ, ESTP, ESFP)

어떤 어려운 문제에 봉착하면 답답한 심정을 느낀다. 아주 작은 문제를 크게 확대 해석한다. 미래에 대한 부정적인 생각으로 해결책을 찾지 못해 곤경에 처하기도 한다.

주기능이 N이고 열등기능이 S일 때 (INFJ, INTJ, ENFP, ENTP)

사소한 일에 지나치게 강박적이거나 충동적이다. 특정 부위의 신체 자극에 너무 초점을 맞춤으로써 우울증 현상을 보일 수 있다. 환경에 대해 민감해질 수 있다.

주기능이 T이고 열등기능이 F일 때 (ISTP, INTP, ESTJ, ENTJ)

지나치게 감상적이게 되고, '상처받았다'거나 '공격받았다'라는 표현을 할 수 있다. 아무도 자기를 보호해 주지 않고 어디에도 소속되어 있지 않다는 생각을 일반화시킨다.

주기능이 F이고 열등기능이 T일 때 (ISFP, INFP, ESFJ, ENFJ)

자신과 타인에게 비판적이다. 말을 중간에 끊으며 상대방을 몰아붙인다. 때로는 당황하면서 사람들을 기피하게 된다.

인생 주기별 심리 기능

출생~6세: 미분화

6세~12세: 주기능 발달

12세~20세: 부기능 발달

20세~35세: 3차 기능 발달

35세~50세: 열등 기능 발달

나이별 심리 기능을 보면 젊은이들은 3차 기능과 열등 기능이 제대로 발달하지 않았다. 중년이 되면 3차 기능과 열등 기능을 발달시키고 그것을 효과적으로 이용하는 방법을 배우게 된다. 중년이 되어 3차 기능과 열등 기능이 발달하면 영혼의 깨달음이나 자기 성장, 인격의 성숙 등을 보인다.

반대로 중년에 고착된 모습을 보일 수 있다. 주기능과 부기능에 의존하면서 과거의 습관에서 벗어나지 못했기 때문이다. 고착된 행동은 3차 기능과 열등 기능을 사용하면 성숙할 수 있음을 인식하지 못했다고 볼 수 있다.

<주기능이 잘 발휘될 때와 경직될 때의 특징>

S(i)

I S T J / I S F J

주기능이 잘 발휘될 때: 사실적이고 구체적인 정보를 잘 다룬다.

경직될 때: 자기 경험과 알고 있는 사실에만 근거하여 독선적인 태도를 보인다.

S(e)

E S T P / E S F P

주기능이 잘 발휘될 때: 외부 세계의 다양한 경험을 선입견 없이 잘 받아들인다.

경직될 때: 새로운 경험을 위해 소비적인 탐구를 한다.

N(i)

INFJ/INTJ

주기능이 잘 발휘될 때: 자신의 내적인 통찰력에 대한 자신감이 있다.

경직될 때: 나의 비전을 남에게 강요하거나, 고집스럽고 맹목적인 주장을 한다.

N(e)

ENFP/ENTP

주기능이 잘 발휘될 때: 외부의 변화와 가능성에 대한 열정과 통찰력이 있다.

경직될 때: 새로운 사람, 아이디어, 가능성을 강박적이고 무책임하게 추구한다.

T(i)

ISTP/INTP

주기능이 잘 발휘될 때: 효과적이고 논리적인 구조의 창출과 적용을 한다.

경직될 때: 자신의 내부적 논리에 모든 것을 맞추려 한다.

T(e)

ESTJ/ENTJ

주기능이 잘 발휘될 때: 외부 세계에 논리와 체계로 결단력 있게 대응한다.

경직될 때: 타인의 감정을 무시하고, 공격적으로 된다.

F(i)

ISFP/INFP

주기능이 잘 발휘될 때: 자신 및 타인에 대한 이해와 지지가 있다.

경직될 때: 자신의 가치관만이 타당하며, 다른 것은 비도덕적이라고 여긴다.

F(e)

ESFJ/ENFJ

주기능이 잘 발휘될 때: 감사와 지지를 바탕으로 한 조화로운 관계를 이룬다.

경직될 때: 극단적 성선설 속에 서로의 경계를 넘어 침범한다.

<코칭 질문>

1. 어린 시절의 꿈은 무엇인고, 지금 느껴지는 감정은 무엇인가?

2. 최근 갈등하고 있는 문제와 내 느낌은 무엇인가?

3. 가장 좋은 추억과 그때의 기분은 무엇인가?

4. 요즘 내가 활력을 받는 것은 무엇인가?

5. 이 책을 통해서 얻고자 하는 것은 무엇인가?

새로운 것을 수용하는 방법

1. 자기꿈을 현실과 일치시키는 작업이 필요하다.

2. 나 자신의 한계와 숙명을 깨닫는다. 꿈과 목적을 달성하고 싶어도 우리에게는 한정된 시간이 놓여 있다.

3. 나이가 듦에 따라 우리 몸에 노쇠현상이 생기는 것을 수용한다.

4. 인생은 살아갈 만한 가치와 의미가 있다는 사실을 인식한다.

5. 변화를 위해서는 개인 유형의 제한점에서 벗어나야 한다는 사실을 이해한다.

6. 나의 과거를 돌아보며 새로운 인생을 개척하려는 긍정적 사고와 의지가 필요하다는 것을 인식한다.

7. 불안하고 현실에 급급한 삶보다는 풍만하고 여유 있는 삶을 누리려는 자기 성장 욕구를 가진다.

3 의사소통

MBTI는 의사소통에 응용할 수 있다. 선호 경향은 좋아하는 대화 스타일을 결정한다. 의사소통 능력은 풍성한 인간관계에 필요하다. 또 직장에서 일을 할 때 협업 소통 능력이 필요하다.

의사소통에는 의사소통 능력이 필요하다. 경청 능력, 공감 능력, 표현 능력이 필요하다. 이 세 가지 능력은 고립과 단절에서 일상 관계의 회복을 돕는다. 의사소통 능력을 기르려면 성격에 맞추어 전달하는 능력이 필요하다. 자신의 성격에 갇혀서 상대방을 해석하면 오해가 생긴다.

인간관계의 갈등은 성격에서 시작된다. 성격적 기질의 차이로 인한 다름은 서로 간에 불편함을 불러온다. 그 불편한 감정들이 곧 갈등을 일으킨다. 갈등과 싸움은 서로 다른 성격을 잘 이해하지 못하기 때문이다.

사람은 태어나서 죽는 날까지 사람과의 관계를 떠나 살 수 없다. 사람과의 관계는 성격의 차이를 어떻게 극복하느냐에 달려있다. "난 이렇고, 넌 그렇구나. 너도 중요하고 나도 중요해."라는 존중하는 태도가 필요하다. 다름을 인정하고 잘 맞추는 사람이 인생을 행복하게 사는 사람이다.

<4가지 선호성향 의사소통 해결 질문>

외향(E) - 내향(I)
어떻게 내 생각과 감정을 표현하는 것을 선호하시나요?
혼자서 아이디어를 생각해내는 시간과 다른 사람들과의 토론을 통해 생각을 공유
하는 시간 중 어떤 것을 더 선호하시나요?

직관(N) - 감각(S)
문제를 해결하거나 결정을 내릴 때 어떤 정보를 먼저 고려하시나요?
추상적인 개념이나 구체적인 사실 중 어떤 것을 더 중요하게 여기시나요?
새로운 아이디어를 받아들일 때 직관적인 감각이나 실제 경험을 더욱 중요시하시
나요?

사고(T) - 감정(F)
문제를 해결할 때 어떤 기준을 사용하시나요, 논리적인 사고나 개인적인 가치와
감정 중 어떤 것을 더 중요하게 여기시나요?
다른 사람들과 갈등이 발생할 때, 어떤 방식으로 감정을 관리하고 의견을 조율하
시나요?

판단(J) - 인식(P)
일을 처리하거나 목표를 달성하기 위해 어떤 방식을 선호하시나요, 계획적이고
구조적으로 진행하거나 유연성과 상황에 따라 변화하는 방식 중 어떤 것을 더
중요하게 여기시나요?
어떤 방식으로 시간을 관리하고 일정을 조율하시나요, 미리 계획한 일정에 따라
진행하거나 융통성을 가지고 일정을 조정하시나요?

상대방을 알고 이해한다는 것은 무엇일까? 그 사람의 가치관을 알 때 가

장 핵심적인 것을 서로 알게 된다. 상대방이 이해가 안 되는 이유는 나의 가치관을 중심으로 상대방을 바라보기 때문이다. 성격유형별로 중요하다고 여기는 핵심 가치가 다르다. 그래서 추구하고 나아가는 방향도 다를 수 있다.

'나는 왜 이런 행동을 해야만 했을까?' 하고 나에게 묻는다면 내가 중요하게 여기는 가치를 발견한다. F인 나는 남을 배려한다는 이유로 사람이 휴식을 취하고 있을 때 부르지 않는다. 그래서 내가 일을 처리하다가 계산이 엉켜서 사고를 낼 뻔했다. 사고가 나가 전에 담당자가 와서 문제를 해결해 주었다. 천만다행이었다.

내가 T라는 사실을 인정하고 필요할 때 F의 따뜻한 인간미를 발휘해야 한다. 상황을 인정하고 감정은 공감하도록 노력해보자. 마음을 열고 T와 F 모두를 받아들이면 유연하게 살 수 있다. 마치 마술사처럼 말이다.

따뜻한 가슴과 냉정한 이성은 모두 필요하다. 감정부터 먼저 뛰어서 해석하고 행동하면 실수가 튀어나올 수 있다. 진위를 정확하게 가리지 못한 채 오해할 소지가 크다. 한번 뒤틀어진 인간관계를 바로 세우기는 어렵다. 미리 주의하고 예방할 필요가 있다. 건강검진을 규칙적으로 해서 필요한 치료를 미리 받고 예방하면 나중에 중병으로 가는 고통을 피할 수 있다.

나와 다른 것은 정상인 아닌 비정상으로 본다면 인간관계가 어렵다. '저럴 수도 있겠다'라는 타인에 대한 인정과 수용의 자세가 필요하다.

탈무드에는 이런 말이 있다.

세상에서 가장 현명한 사람은 모든 사람으로부터 배운다.

세상에서 가장 사랑받는 사람은 사람들을 칭찬한다.

세상에서 가장 강한 사람은 인내할 줄 아는 사람이다.

의사소통과 인간관계

이벤트 선물을 주는 문자가 날라왔다. 대충 읽고 그대로 진행을 안해서 날릴 뻔한 적이 있다. 공지를 정확하게 잘 확인해야 선물을 받을 수 있다. 인간관계에서도 남이 하는 말을 정확하게 제대로 들어야 떡이 들어온다. 남의 말을 사실대로 들어야 의사소통을 할 수 있다. 내가 듣고 싶은 부분만 듣고 보고 싶은 부분만 보면 오해가 생기고 불화가 싹튼다.

사람은 성격에 따라 대화하는 방식이 다르다. 상대방의 성격에 따라 맞출 수 있는 유연성과 융통성이 필요하다. 인간관계는 일방이 아니라 상호작용이다. 서로가 올바른 반응을 함으로써 친밀감을 느낀다. 이 친밀감은 행복감으로 연결된다.

상대방의 성격유형을 알면, 대화를 원활하게 끌어가는 데 도움이 된다. 상대방이 원하는 대화 스타일을 이해함으로써 수월하게 그에게 다가갈 수 있다. 예를 들면, 감각형은 거시적인 관점이나 비현실적인 것보다는 사실적이고 자세한 것을 중요시하는 경향을 띤다. 따라서 감각형인 사람과 대화를 나눌 때 그들의 관점에서 중요하다고 생각되는 것에 대화의 초점을 맞출 때 바람직한 성과를 거둘 수 있다.

<4가지 반대 선호성향별 관점>

외향성이 내향성을 볼 때
음흉하고 지나치게 개인적이라 생각.
몰인정하고 비우호적이라 생각한다.
속으로 감추고, 자기중심적이라 생각.
느리고 비협조적이라 생각한다.
사교성이 없다고 생각한다.

내향성이 외향성을 볼 때
수다스럽고 말부터 앞선다고 생각.
나서고, 참견이 심하다고 생각한다.
겉만 요란하고, 불성실하다고 생각.
지나치게 활동적이고 위세를 부린다고 생각한다. 무례하고 으스댄다고 생각한다.

감각형이 직관형을 볼 때
경박하고 엉뚱하다고 생각한다.
비현실적이라 생각한다.
몰인정하다고 생각한다.
공상가라고 생각한다.
너무 복잡하고 이론적이라 생각한다.

직관형이 감각형을 볼 때
상상력과 창의성이 부족하다고 생각
지루하고, 새로운 것을 거부한다고
생각한다
완고하고 고리타분하다고 생각한다
통찰력이 없다고 생각한다
단순하다고 생각한다

사고형이 감정형을 볼 때
비논리적이라 생각한다.
지나치게 감상적이라 생각한다.
허약하다고 생각한다
신경질적이라 생각한다
비합리적이라 생각한다

감정형이 사고형을 볼 때
냉정하다고 생각한다
무감각하다고 생각한다
무관심하다고 생각한다
비인간적이라 생각한다
몰인정하다고 생각한다

판단형이 인식형을 볼 때
게으르고 비생산적이라 생각한다.
습관적으로 지각하며, 중요한 마감
시한도 곧잘 잊는다고 생각한다
진지하지 않다고 생각한다
무책임하고 신뢰할 수 없다고 생각.
우유부단해서 결정을 끈다고 생각.

인식형이 판단형을 볼 때
경직되고 고집스럽다고 생각한다
융통성이 없으며 완고하다고 생각
지배하려는 속성이 강하다고 생각
사물을 흑백논리로 파악한다고 생각
결정을 지나치게 빨리 내린다고 생각

<타인에게 효과적으로 다가가는 법>

외향을 상대할 때는	내향을 상대할 때는
상대방에게 이야기할 기회를 준다. 말하면서 생각하라. 화제를 다양하게 이끌어라. 되도록 말을 많이 하라 즉각적인 반응을 기대하라 대화가 끊어지지 않도록 하라	질문을 하고, 진지한 태도로 들어라. 한 번에 하나씩만 말하라. 가능하면 글로 의사를 전달하라. 상대방에게 생각할 시간을 주어라. 남의 말을 가로채어 결론짓지 마라

감각형을 상대할 때는	직관형을 상대할 때는
화제를 분명히 하라 실제 사례를 준비하라 정보를 차근차근 제공하라 실제적인 적용을 강조하라 말을 분명하게 맺어라 과거의 실제 경험을 언급하라	거시적인 관점에서 말하고, 함축된 의미를 언급하라. 가능한 것에 대해서 말하라. 비유적 표현을 사용하라. 화제를 다양하게 하라. 상대방의 상상력에 동조하라. 세세한 것까지 따지지 마라.

사고형을 상대할 때는	감정형을 상대할 때는
조직적이고 논리적으로 되어라. 원인과 결과를 생각하라 결과에 초점을 맞추어라	동의하는 부분을 먼저 언급하라 상대방의 노력과 기여를 칭찬하라 상대방의 감정을 이해하라

어떻게 '생각하느냐'고 물어라. 상대방의 공명정대함에 호소하라 되풀이해서 묻거나 말하지 마라	인간적인 문제를 화제로 삼아라 미소를 잃지 말고, 눈을 맞춰라. 친절과 사려 깊은 자세를 유지하라

판단형을 상대할 때는	인식형을 상대할 때는
시간을 지키고, 미리 준비하라 항상 결론에 이르도록 하라. 문제 해결을 뒤로 미루지 마라 의사결정을 분명히 하라 시간 낭비를 하지 마라. 체계적이고 효율적인 모습을 보여주어라. 기존의 계획을 고수하라.	질문이 많을 것이라 예상하라 성급하게 결론을 유도하지 마라 선택 가능성을 논의할 기회를 주고 계획에 유연성을 더하라. 결과보다는 과정에 초점을 맞추라 상대방에게 선택하도록 하라 새로운 정보를 받아들이는 자세를 보여라.

<의사소통 스타일과 갈등 관리>

외향형: 소리 내어 표현한다.
빠른 스피드, 남의 말을 가로막는다.
목소리가 크다.
생각을 소리 내어 표현한다.

내향형: 심사숙고한다.
응답하거나 정보를 제공할 때, 잠시
멈춘다. 목소리가 작다.
문장이 간단하고, 짧은 편이다.

감각형 : 구체적인 것
단계적인 정보나 교육을 요구한다.
무엇, 어떻게에 관해 질문을 한다.
상세한 설명을 사용한다.

직관형: 큰 그림
활동의 목적에 대해 알기를 원한다.
가능성을 본다. 왜라는 질문을 한다.
일반적인 개념으로 표현한다.

사고형: 논리적인 뜻
당신과 당신의 지식을 시험하는 것
같다. 객관적인 증거에 비중을 둔다.
타인의 맘에 들어 결정한 것에 감동
하지 않는다. 대화는 논리를 검토하는
형태를 지닌다.
(만약, 이렇게 하면 그때 저것은)

감정형: 사람에게 미치는 영향
상호작용을 통한 조화를 추구한다.
이들은 가치에 관해 이야기할 것이
다. 타인이 어떻게 행동하고, 어떻게
상황을 풀어가는지에 대해 질문한다.
관련된 사항들을 고려한다.

판단형: 종결의 기쁨
긴 설명과 절차를 참지 못한다.
서둘러, 나는 이것을 결정하기를 원
해. 너무 빨리 결정하려고 한다.
종결을 즐긴다.

인식형: 과정의 기쁨
결정에 대해 여지를 두려고 한다.
무엇을 더 고려해야 할지 탐색해보자.
최후의 순간에 결정하려고 한다.
과정을 즐긴다.

<유형과 관련된 갈등 확인하기>

외향형
빠른 것과 일정한 속도를 유지하기

내향형
주제가 다양하게 변하는 것. 하나에 초
점을 맞추는 것

감각형
문제가 무엇인지에 대한 동의

직관형
경험에 초점과 개념에 초점

사고형
맞는 것을 찾기와 개인의 가치를 탐색하기.

감정형
논리적인 대안을 선택하고 모든 사람에게 그것을 적용하기와 개인의 개별적인 해결책을 찾기.

판단형
구조에 대한 욕구와 유연성에 대한 욕구

인식형
종결에 대한 욕구와 개방성에 대한 욕구

<4가지 선호성향 갈등 해결 방법>

갈등 해결은 유연성, 상호 이해, 개방적인 대화, 상호 협력이 공통적인 원칙이다.

외향형(E)
갈등 상황에서 상대방과 적극적인 대화를 추구하여라.

내향형(I)
상대방의 의견을 경청하고 이해하기 자신의 의견을 명확하게 표현하기. 함께 협력하여 해결책을 찾아라.

감각형
갈등 상황에서 상대방의 감정과 관점을 이해하려고 노력하여라.

직관형
상대방의 감정에 공감하고 창의적인 문제 해결책을 모색하라. 가능한 미래의 상황과 긍정적인 결과를 고려하라.

사고형

갈등 상황에서 객관적인 사고와 분석을 통해 문제를 해결할 수 있는 방법을 찾으려고 노력하여라.

감정형

갈등 상황에서 감정적인 요소와 논리적인 판단을 조화롭게 조절하는 방법을 연습하여라. 상대방의 의견을 이해하고 수용할 수 있는 융통성을 가지도록 해라.

판단형

갈등 해결을 위해 조직화한 방식으로 접근하여라.

인식형

명확한 목표와 일정을 계획하여 해결 과정을 체계적으로 진행하여라. 유연성을 유지하며, 상대방과 협력하여 상호 이익을 고려한 해결책을 찾아라.

나-전달법

상대에게 솔직하게 말하는 것은 쉽지 않다. 말을 솔직하게 하기 위해서는 내가 느끼는 감정에 솔직해야 한다. 나 전달법 대화가 자기표현에 도움을 준다. 대인관계 의사소통 능력을 확장하는 효과가 있다.

나 전달법(I-message 아이 메시지)은 '나'를 주어로 하여 자기 생각과 감정을 표현하는 대화법이다. 상호 간의 이해와 협력을 위해 열린 대화와 듣기 기능에 필요한 대화법이다.

나-전달법(I-message 아이 메시지)	너-전달법(You-message)
나를 주어로 감정을 감정 이입한다	너를 주어로 하는 대화법
상대를 공격하거나 평가하기보다 자신의 상황을 설명	타인의 문제가 말로 표현
	상대방의 행동에 초점을 맞추어 상대의

상대가 어떻다는 데 초점을 안두고 내가 어떻게 생각하고 있다는 느낌만을 전달

상대의 행위를 공격하기보다 나 자신에게 어떤 결과를 낳았는지 말한다.

서로 이 상황을 개선하기 위해서 협상할 마음의 태세가 준비

상대의 행동을 변화시키라는 메시지가 들어 있지 않다.

서로 미안하면서도 고마움을 느낀다.

행동을 평가하거나 비난

자신의 욕구 상태를 제대로 전달하지 않고 상대방의 행동을 문제시

상호비방으로 관계가 악화 싸움이나 대립으로 발전

갈등 상황에서 해결에 도움이 안 됨.

공격하는 말을 하게 만든다. 그러면 다시 공격하는 말이 돌아온다.

상대가 어떤 사람이라고 말하는 화법

상대가 어떻게 변해야 한다는 충고가 있다.

<너- 전달법 대화 예시>

"너는 도대체 게임만 하면 밥을 안 먹니"

"엄마도 드라마 보면 밥 먹는 거 잊어버리잖아."

"네가 왕자냐? 네 방은 네가 치워라."

"엄마는 허구한 날 잔소리하고 야단만 치신다니까."

<'나 전달법' 사용 예시>

① 상대방의 행동이나 말에 대해 묘사하기

예) "왜 너는 짜증을 내면서 말하니?"(X) → 너는 나에게 짜증을 내면서 말을 했어. (O)

② 상대방의 행동이나 말에 대한 나의 감정 말하기

예) "너는 왜 방을 돼지우리처럼 하고 사니?."(X) → "나는 어질러진 네 방을

보면 마음이 복잡하다."(O)

③ 문제 해결을 위해 상대방이 해 주기를 바라는 사항 말하기

예) "넌 나아질 가망이 없다,"(X) → 나는 네 방을 치우기가 너무 힘드네. 이제 방 치우기는 네가 하면 좋겠구나."(O)

(상황: 친구가 약속 시간에 연락도 없이 40분 뒤에 나타났다.)

A: "넌 어떻게 연락도 없이 40분씩이나 늦을 수 있니? 넌 그렇게 내가 만만하니? 정말 짜증이 나. 가려다가 참았어."

B: "나는 네가 연락도 없이 늦게 온 것 때문에 지금 화가 나. 40분이나 기다렸어. 내가 무시당한 느낌이 들어. 다음에는 무슨 일인지 연락 해 줄 수 있겠니?"

A와 B의 대화 내용 중 나를 주어로 자신의 감정을 표현하는 B가 아이 메시지 대화 방법이다. 서로의 감정을 해치지 않고 소통하기 위해서는 아이 메시지(I-message) 대화가 필요하다.

<나-전달법의 장점>

공감과 배려가 있는 의사소통의 기초 /내가 경험하고 있는 감정이나 상황을 전달한다. 나의 상황을 전달하면 남이 나를 이해한다. /상대의 상태에 대해 느끼고 아는 민감성을 기른다. 상대의 행동을 변화시키는 효과 /사람들은 충고 듣는 것을 싫어한다. 지속하면 나-전달법이 행동 변화 /나의 요구를 알게 된 상대 스스로 결단을 내리기 때문이다. 자기 행동을 자신이 책임지는 자율성을 기른다. /성장과 변화를 돕는다. 사람들과 사려 깊은 대인관계를 만든다. /상대에게 자신이 결정할 주도권을 준다. 행동과 상대방을 분리해 행동의 결과와 관련된 나의 느낌 말하기. 섭섭하거나 짜증이 난 감정을 상대에게 전달한다. 기분 나쁘게 하는 것은 상대방이 아니라 상대방의 행동이나 말이다.

<코칭 질문>

*나는 나-전달법 대화를 하고 있는가?

*내가 자주 사용하는 말을 나-전달법으로 바꾸면 어떻게 되는가?

1. 지금 이 세상에서 가장 중요한 사람은 누구인가?

2. 인생에서 가장 중요할 때는 언제인가?

3. 삶에서 가장 중요한 일은 어떤 일인가?

-톨스토이

나를 발견하는 법

1. 자기내면을 들여다보기 한다. 자신과의 대화를 통해 자신의 감정, 생각, 행동 등을 분석해본다.

2. 새로운 경험과 도전을 한다. 새로운 취미나 관심사를 개발하거나 새로운 활동을 시도해보는 것이 좋다.

3. 타인의 피드백을 수용한다. 주변 사람들로부터 솔직한 피드백을 받아들이는 것이 중요하다.

4. 목표 설정과 진로 탐색을 한다. 자신의 장점과 관심사를 바탕으로 진로를 탐색해보자.

5. 긍정적인 자기 이미지를 가진다. 자신을 사랑하고 존중하는 마음가짐이 필요하다.

6. 자기관리를 한다. 건강한 식습관, 충분한 수면, 운동 등을 통해 자신을 관리한다.

7. 실수와 실패에 대해 용인한다. 비난하지 않고 배움의 기회로 삼는 것이 중요하다.

4 나의 발견(2)

　나의 발견에서 자기 이해는 무엇일까? 나의 감정, 생각, 행동의 3가지 영역에 대한 이해를 말한다. '나답게' 산다는 건 무엇을 말하는가? 자신의 욕구, 재능, 가치 세 가지에 대한 이해다. '욕구'는 자신이 무엇을 좋아하고 무엇을 싫어하는지를 스스로 인식하면서 알게 된다.

4가지 선호성향

태도: 에너지의 원천이나 방향	외향(E)과 내향(I)
기능: 인식의 방식(정보의 수집)	감각(S)과 직관(N)
기능: 판단의 방식(정보의 처리)	사고(T)와 감정(F)
태도: 외부 세계에 대한 태도	판단(J)과 인식(P)

<16가지 성격유형 심리기능>

ＩＳＴＪ(세상의 소금, 신용가, 절약가, 보수파, 준법자)

한 번 시작한 일은 끝까지 해낸다. 진지함, 성실하고 책임감 강함, 보수적이다. 정해진 일정표대로 따르는 것을 좋아한다. 동료에게 좋은 역할의 모범, 조직력과 정확성이 있다. 외유내강의 느낌을 준다.

I S T J	주기능	부기능	3차기능	열등기능
내향적감각형	Si	Te	F	Ne

I S T P(낙천가, 소비가, 모험파, 개척자, 백과사전)

논리적이고 뛰어난 상황적응력을 가지고 있다. 일상생활에 적응력이 매우 뛰어나다. 일과 관계되지 않은 이상, 어떤 상황이나 다른 사람의 일에 직접 뛰어들지 않는다. 논리적 분석, 객관적 관찰을 잘함. 도구나 재료를 잘 다룬다. 노력과 절약에 탁월하고 손재주가 있다.

I S T P	주기능	부기능	3차기능	열등기능
내향적 사고형	Ti	Se	N	Fe

E S T P(활동가, 주창자, 촉진자, 행동파, 수완가)

친구, 운동, 음식 등 다양한 활동을 좋아한다. 관대하고 느긋함, 현실성, 행동과 적응력이 뛰어나다. 선입관을 별로 갖지 않으며 개방적이다. 갈등이나 긴장 상황을 잘 무마시키는 능력이 있다.

E S T P	주기능	부기능	3차기능	열등기능
외향적 감각형	Se	Ti	F	Ni

E S T J(행정가, 운영자, 추진가, 사업가)

사무적, 실용적, 현실적으로 일을 많이 한다. 분명한 규칙을 중요하게 여기며 그에 따라 행동한다. 책임감이 강하다. 업무에 대한 결과가 즉각적, 가시적, 실제적이다. 리더십을 발휘한다.

E S T J	주기능	부기능	3차기능	열등기능
외향적 사고형	Te	Si	N	Fi

ＩＳＦＪ(보호자, 관리자, 공급자, 봉사자, 모범생)

성실하고 온화하며 협조를 잘한다. 책임감이 강하고 온정적, 헌신적이다. 자신과 다른 사람의 감정의 흐름에 민감하다. 침착하고 인내심이 강하다. 경험을 통해 자신이 생각한 것이 틀렸다고 인정하기 전까지 끝까지 밀고 나간다. 세심함과 관찰력을 발휘하고 인간에 대한 관심이 많다.

ＩＳＦＪ	주기능	부기능	3차기능	열등기능
내향적 감각형	Si	Fe	T	Ne

ＩＳＦＰ(예술가, 온정가, 낙천가, 연기자, 성인군자)

따뜻한 감성을 가지고 있고 겸손하다. 동정적이며 따뜻함을 말보다 행동으로 표현한다. 자신을 지나치게 과소평가한다. 동식물 등 온화한 관심과 보살핌이 필요한 대상에게 관심을 둔다. 잘 적응하고, 관용하고 현재의 삶을 즐긴다. 갖고 있는 재능이 많다. 필요로 하는 자리를 찾기만 하면 크게 기여한다. 실질적인 대가보다 인간 이해와 공헌하는 일에 관심이 많다.

ＩＳＦＰ	주기능	부기능	3차기능	열등기능
내향적 감정형	Fi	Se	N	Te

ＥＳＦＰ(낙천가, 현실가. 접대자, 사교가)

분위기를 고조시키면서 우호적이다. 친절하고 수용적, 현실적, 상식과 실제적 능력이 강하다. 어떤 상황에도 잘 적응하고 타협적, 개방적이다. 주위 사람의 일, 활동, 새로운 사건 혹은 물건에 관심과 호기심이 많다. 이론이나 책을 통해 배우기보다 실생활을 통해 배우는 것을 좋아한다. 재치 있고 꾀를 부리기도 한다.

ＥＳＦＰ	주기능	부기능	3차기능	열등기능
외향적 감각형	Se	Fi	T	Ni

ＥＳＦＪ(사교가, 봉사자, 협조자, 친선도모자)

친절과 현실감을 바탕으로 타인에게 봉사한다. 동정심과 동료애가 많고, 친절하고 재치가 있다. 참을성이 많고 양심적이다. 사람을 다루고 행동한다. 인정받기 좋아해서 더 열심히 일한다. 타인의 의견이 갖고 있는 가치를 발견하는데 재능이 있다.

ESFJ	주기능	부기능	3차기능	열등기능
외향적 감정형	Fe	Si	N	Ti

INFJ(예술가, 신비가, 현자, 예언가)

사람과 관련된 것에 통찰력이 뛰어나다. 직관력, 창의력이 뛰어나다. 사람의 가치를 중요하게 여긴다. 직관력을 사용한다. 어떤 일을 할 때 그 일이 주는 의미가 매우 중요하다. 독창적이고 독립심이 강하다. 확고한 신념과 뚜렷한 원리원칙이 있다. 공동의 이익과 다른 사람과의 조화를 중요하게 여긴다. 남에게 강요하기보다 자신의 행동과 권유를 통해 사람들의 마음을 움직인다.

INFJ	주기능	부기능	3차기능	열등기능
내향적 직관형	Ni	Fe	T	Se

INFP(탐색가, 예술가, 신념가, 이상가, 잔다르크)

이상적인 세상을 만들어가는 사람들이다. 마음이 따뜻하나 상대방을 잘 알게 될 때까지 좀처럼 표현을 안한다. 조용하며, 자신과 관련된 사람과 일에 책임감 강하고 성실하다. 자신이 지향하는 이상에 대해 정열적인 신념이 있다. 이해심이 많고 적응력이 좋으며 대체로 관대하고 개방적이다. 관심 있는 일에 대해서는 완벽을 추구한다. 새로운 아이디어와 호기심이 있다. 통찰력이 있고 긴 안목을 발휘한다.

INFP	주기능	부기능	3차기능	열등기능
내향적 감정형	Fi	Ne	S	Te

ENFP(열성가, 작가, 참여가, 외교술가, 스파크)

열정적으로 새로운 관계를 만든다. 열성적이고 창의적이다. 풍부한 상상력과 순간적인 에너지를 발휘한다. 즉흥적이고 재빠르게 해결한다. 관심 있는 일이면 무엇이든 척척 해내는 열성파이다. 뛰어난 통찰력으로 사람의 성장 가능성을 들여다 본다.

연속적으로 새로운 열정을 쏟아내는 것 자체에서 힘을 얻는다.

ＥＮＦＰ	주기능	부기능	3차기능	열등기능
외향적 직관형	Ne	Fi	T	Si

ＥＮＦＪ(지도자, 언변가, 협조자, 타고난 교사)

타인의 성장을 도모하고 협동한다. 동정심과 동료애가 많다. 의사소통에 매우 능하고, 사교적이다. 친절하고 재치 있으며, 협동을 중요하게 여긴다. 민첩하고 참을성이 많으며 성실하다. 사람을 다루고 행동을 요구한다. 다른 사람의 요구를 들어주고 기쁘게 하는 것을 좋아해서 책임을 지려고 한다. 쓰기보다는 말로 생각을 잘 표현한다.

ＥＮＦＪ	주기능	부기능	3차기능	열등기능
외향적 감정형	Fe	Ni	S	Ti

ＩＮＴＪ(이론가, 발명가, 독창가, 과학자)

전체적으로 조합하여 비전을 제시한다. 행동과 사고가 매우 독창적이다. 독립적이고 단호하다. 어떤 문제에 대해 고집이 매우 세다. 자신이 가진 영감과 목적을 실현시키려는 의지와 결단력, 인내심이 강하다. 자신과 다른 사람의 능력을 중요하게 여긴다. 목적을 달성하기 위해 모든 시간과 노력을 바친다. 직관력과 통찰력이 있다.

ＩＮＴＪ	주기능	부기능	3차기능	열등기능
내향적 직관형	Ni	Te	F	Se

ＩＮＴＰ(건축가, 철학가, 과학자, 이론가, 아이디어뱅크)

비평적인 관점을 가지고 있는 전략가이다. 조용하고 과묵하나 관심있는 분야에 대해서는 말을 잘한다. 아이디어에 관심이 많다. 분석적이고, 논리적, 객관적인 비평을 잘한다. 인간관계에 흥미가 없다. 지적 호기심이 많다. 추상적 개념을 잘 다룬다.

ＩＮＴＰ	주기능	부기능	3차기능	열등기능
내향적 사고형	Ti	Ne	S	Fe

ＥＮＴＰ(창의자, 활동가, 능력가, 해결사, 발명가)

풍부한 상상력을 가지고 새로운 것에 도전한다. 독창적인 혁신가이다. 창의력이 풍부하다. 새로운 가능성을 찾고 새로운 시도를 한다. 넓은 안목을 가지고 있으며, 다방면에 재능이 많다. 민첩하고 여러 가지 일에 재능을 발휘하며 자신감이 높다. 다른 사람을 판단하여 이해하려한다. 관심있는 분야는 무슨 일이든 해내는 능력이 있다.

ＥＮＴＰ	주기능	부기능	3차기능	열등기능
외향적 직관형	Ne	Ti	F	Si

ＥＮＴＪ(지도자, 통솔가, 정책자, 활동가)

비전을 가지고 사람들을 활력적으로 이끌어간다. 활동적이며 열정적인 일과 장기 계획을 선호한다. 솔직하고 결정력과 통솔력이 있다. 논리적이며 분석적이다. 비능률적이거나 확실하지 않은 상황에 대해서는 인내심이 없다. 문제에 의해 자극 받고 새로운 해결책을 발견하고 추진할 수 있다. 직관 기능이 있다.

ＥＮＴＪ	주기능	부기능	3차기능	열등기능
외향적 사고형	Te	Ni	S	Fi

♣ 나의 유형을 해석하면 일목요연하게 나를 이해할 수 있다.

Q1. 주기능이 발휘되는 경우는 언제인가?

Q2. 열등 기능이 필요한 경우는 언제인가?

♣ 나의 성격유형은 MBTI 심리 기능(주기능, 부기능, 3차 기능, 열등 기능) 아래 각 영역에 어떻게 영향을 끼치고 있나요?

1. 꿈과 비전

2. 인생의 목표

3. 배우자 선택 기준

4. 친구 관계

5. 직업 선택

6. 기타

<예시> ENTP: 내향적 사고를 지닌 외향적 직관

심리기능	주기능	부기능	3차기능	열등기능
	Ne	Ti	F	Si

인생의 목적에 대해서는 큰 그림을 가지고 왔다. 교육에 대한 비전을 가지고 꾸준히 준비하면서 이 길을 걸어왔다. 환경이 바쳐주지 않았지만 포기하지 않았다. 그것은 부기능인 사고기능이 지지해 준 덕분이었다.
현실적인 감각에서는 책을 쓸 때 세세한 예시를 제시하는 데 약하고 추상적인 개념 설명으로 흐른다.
배우자 선택 기준도 장기적인 안목으로 미래의 비전을 본다.

♣ 자기 성격유형의 특성이 발휘된 일을 구체적인 예로 설명해보세요.

가족 안에서의 역할-

친구들 사이의 역할 -

직장에서의 역할-

기타-

<예시> ENTP: 내향적 사고를 지닌 외향적 직관
활동가로서의 면모를 보인다. 가족 내에서도 말로 분위기를 띄운다. 교회 공동체에서도 화기애애한 분위기를 만든다.
교육 일을 할 때 새로운 아이디어를 제시해서 교육 교재를 보완하는 데 도움을 주었다. 그리고 말보다는 직접 교재 수정과 보완을 한다. 나서서 일을 한다. 수업 준비는 고민하면서 창조적으로 수업 구성을 한다.

♣ 나의 성격유형의 강점 3가지는 무엇인가?

*내가 좋아하는 것 10가지를 적으세요. 10가지를 한 문장으로 정리하세요. (포스트잇에 적기)

예시:
내가 좋아하는 것은 (   )이다.

*내가 싫어하는 것 10가지를 적으세요. 10가지를 한 문장으로 정리하세요. (포스트잇에 적기)

예시:
내가 싫어하는 것은 (   )이다.

<코칭 질문>

1. 지난 한 주는 어떠했나요?

2. 요즘 내가 자주 느끼는 감정의 상태는 무엇인가?

3. 내가 세운 목표는 무엇인가?

4. 목표를 실행하는 데 현실 상황은 어떠한가?

5. 목표를 이루는 데 방해 요소는?

6. 이 상황에서 내가 할 수 있는 일은 무엇인가?

7. 내가 실천했다는 것을 어떻게 확인할 수 있을까요?

8. 실행할 수 있는 환경을 만들기 위해 무엇을 할 수 있을까?

성격과 사랑

1. 성격적 특성: 사랑의 표현 방식은 성격에 따라 다르다. 애정이 어린 표현과 신체적인 접촉, 관심과 배려 등을 통해 사랑을 나타낸다.

2. 감정 수용: 감정 표현에 솔직하고 개방적인 성향을 보인 사람들은 서로의 감정을 더 잘 이해하고 공유할 수 있다.

3. 대인관계와 연결: 서로를 이해하고 지지하면 사랑과 애정이 더욱 강화될 수 있다.

4. 존중과 이해: 서로를 받아들이고 존중함으로써 사랑의 관계가 유지된다.

5. 애정 언어: 사랑의 언어는 사람마다 다를 수 있다. 성격에 따라 서로의 애정 언어를 파악하고 이를 활용하자.

6. 갈등 해결: 갈등이 발생할 때 성격을 이해하고 서로를 지지하는 능력이 필요하다.

3부. 성장하다

1 강점과 진로

창의, 인성, 소통을 바탕으로 한 4C 역량이 필요한 시대를 맞고 있다. 능력과 함께 인성을 중요시하는 채용시장으로 바뀌고 있다. 회사가 블라인드 면접으로 전환하고 있다. 인성이 안되면 직장에서 서로 비난하고 싸우는 '휴먼 리스크'를 일으킨다. 사회생활에서 인성을 통한 협업 소통이 강력한 능력으로 부각하고 있다. 축구 선수도 실력뿐만이 아니라 인성을 논하는 시대다. 영국 프리미어리그 토트넘의 손흥민 선수는 실력과 함께 인성이 알려져 세계적인 인기 스타로 자리매김했다. 4차 산업혁명 시대에 4C는 생존하고 상생하는 데 필요한 역량이다.

4C 역량

1. 창의력(Creativity)

   새로운 것을 생각해 내는 능력

2. 비판적 사고능력(Critical Thinking)

   논리적 과정을 통해 이치를 검증하는 사고능력

3. 의사소통 능력(Communication)

   자기 의사를 표현하고 타인과 상호 교류하는 능력

4. 협업 능력(Collaboration)

사람들과 협력하여 계획적으로 일을 수행하는 능력

요즘 시간이 나서 '그날. 우리는' 통일 염원 뮤지컬(통일과 나눔 주관)을 라이브 동영상으로 보았다. 대체 통일이 된 그날, 우리는 무슨 일을 겪게 될까? 하는 궁금한 마음도 있었다.

뮤지컬을 본 지 몇 분도 안 되어 빠져들었다. 남한의 충청도 사투리와 북한 사투리가 어우러져서 친근한 느낌을 준다. 통일된 후 북한 젊은이가 남한의 충청도 시골 마을에 이사를 간 후 겪는 일이다. 그 마을의 이장과 이장의 딸, 그리고 동네 아주머니를 만난다.

북쪽남은 컴퓨터를 배우기를 원한다고 이장에게 부탁했는데, 이장의 딸이 가르쳐 주기로 한다. 그러다가 서로 다른 의미가 있는 단어의 차이로 인한 오해가 일어나고 이장은 북쪽남과 갈등으로 치닫는다. 결국 이장은 북쪽남에게 자기 딸에게 작업을 걸지 말라고 폭언을 퍼붓고는 딸을 떼어놓듯이 끌고 간다. 이장은 북쪽남을 무시하고 비하하는 발언을 서슴지 않았다.

북쪽남은 고개를 숙이고 북한이 남한처럼 잘 살았다면 내가 지금 이렇게 비참하지는 않았을 거라고 중얼거린다. 그리고 '정의롭고 차별 없는 희망찬 세상'이라는 가사의 노래를 부른다. 이 노래는 오히려 한국 사회가 '정의롭고 차별 없는 희망찬 세상'이냐고 되묻는다. 이 땅에 사는 사람들은 어떻게 대답할까?

그다음 장면은 무대의 중심에 북쪽남이 어깨를 쭉 펴고 당당하게 두 다리를 벌리고 서 있다. 오른쪽에는 'I ♡ 평양'이라는 문구가 쓰인 티셔츠를 입은 아들과 그의 어머니가 저자세로 서 있다. 왼쪽에는 이장과 이장의 딸이 굽신거리면서 고개를 숙인 채 서 있다.

'I ♡ 평양' 티셔츠를 입은 남자는 "평양 종합대학에 가는 것이 인생 최고의 꿈"이라고 북쪽남에게 말하면서 선망의 눈빛을 보낸다. 왼쪽의 이장은 북쪽남에게 자기 딸과 결혼해 달라고 애원하는 게 아닌가. 그때 바바리코트에 선글라스를 낀 세련된 도시녀가 등장하더니 북쪽남의 어깨를 감싼다. 북쪽남이 "저 여자친구 있어요"라고 말한다. 차가운 표정의 도시녀가 "냄새나"라고 한마디 내뱉는다. '냄새난다'라는 이 한마디에 담겨있는 의미는 무엇일까? 무시, 혐오, 빈정거림 등.

이 장면은 뮤지컬 최대의 반전인데 북쪽남의 상상이다. 남한과 북한의 경제 상태를 바꾸어 설정했는데 '어쩜 이럴 수 있나?'라는 여운이 남으면서 생각이 꼬리에 꼬리를 문다. 그 생각은 결국 '우리가 지향하는 가치가 물질 만능주의인가?'라는 질문을 나에게 던졌다. 우리는 어쩌면 물질과 소유에 영혼을 팔고 있는지 모른다. 실제로 '영끌'이라는 단어도 사용되고 있다. 영혼까지 끌어다가 집을 사고 무엇을 산다는 말이다. 물질을 많이 소유하고 누리면서 명품을 걸치고 명품 가방을 메면 가난한 사람을 냄새나는 존재로 꼬리표 붙이기로 해도 면죄가 된다는 말일까.

'I ♡ 평양'의 빨간색 하트가 떠오르면서 웃프다. 블랙코미디를 보는 것 같아 웃지도 울지도 못하겠다. 마치 이 사회가 지향하는 가치가 혼란해서 어디에 장단을 맞추어야 할지 모르듯 말이다.

나는 20대 초반부터 청소년에게 교육으로 봉사하면서 인생의 비전을 교육에 두고 살아왔다. 지금은 현장에서 만나는 학생들과 학부모가 성적에 집착하는 현실을 목격하고 있다. 성적부터 화살표를 붙여서 계속 단계마다 화살표를 붙이면 어디로 도착할까? 1차 목적지는 대학이다. 2차 목적지는 고수입 직장이다. 결국 돈을 안정적으로 버는 직장을 위해 성적에 목표를 둔다.

한 어머님과 학부모 상담을 했다. 중학교에서 처음 치른 시험 점수가 잘 안 나왔다고 아들의 모든 것을 성적 수준으로 평가했다. "이 아이가 도대체 무엇을 하고 있느냐?"고 말이다. 아들이 이제 수행평가를 잘 봤다고 해도 냉소적으로 말한다. "도대체 이 아이가 잘했다는 것이 뭐냐?"는 거다. 시험 결과가 나오기 전에는 책과 친해지고 다양한 경험을 많이 했으면 좋겠다고 말했다, 운동과 관련된 학원도 보내고 싶다고 말했다.

그러나 이 학부모님은 아들의 시험 결과가 나온 이후로 딴판이다. 아들은 감성적이고 친구를 굉장히 좋아한다. 아들이 동네 친구들이 다니는 학원을 시험 성적이 안 나와서 바꾸려고 했는데 아들이 싫다고 했단다. 주중에 학원과 다른 수업으로 꽉 차 있고 토요일도 진로와 관련된 두 개를 배우러 다닌다. 이번에 다른 화상강의 2개를 더 수강 신청했다고 한다.

아들의 관심과 재능이 뭔지는 대화도 잘 안 한다. 아들의 재능과 꿈을 위한 교육이 아니라 오로지 성적을 내기 위한 공부를 시킨다. 결과로 사람을 평가하는 세상이다. 성적 지상주의이다. 철저히 결과주의다. 과정이 중요하지 않다. 이는 곧 결과 지상주의이다. 이 두 개의 끝으로 가면 물질 만능주의와 연결이 된다.

물질 만능주의 사회에서 편하게 살고자 하는 인간의 욕망을 청소년에게서 발견한다. 꿈 이야기를 하다가 초등학생에게 "돈 많은 백수도 (꿈이) 돼요?"라는 말을 들었다. 청소년들에게 꿈이 건물주라는 말은 직접 여러 번 들었다. 고3 학생에게 "어떻게 살 거니?"라고 물으면 돈을 벌고 모아서 집을 사고 차를 살 거라고 대답한다. 옆의 학생도 나도 그렇게 할 거라고 말한다.

이렇게 살면서 우리는 대화와 소통을 잃었다. 부모는 자식에게 '네가 진정 원하는 것이 무엇인지' 묻지 않는다. '네가 좋아하는 것이 무엇인지' 묻지 않는다. '너의 재능이 무엇인지' 묻지 않는다. 돈을 많이 버는 안정적인 정규직의 고정 수입이 정년까지 보장되는 것이면 된다.

이런 삭막한 모습이 슬프다. 부모와 자녀가 소통이 안 되면 행복하지 않다. 소통이 주는 친밀감에 목말라 외로움을 채우기 위해 청소년은 유튜브, 게임, 스마트폰에 빠진다. 청소년의 스마트폰 과다 사용은 한국 사회의 특수한 모습이라고 한다.

내가 가르치는 5차원교육은 지력, 심력, 체력, 자기 관리력, 인간관계 능력의 전인격으로 사람을 이해한다. 5가지 회복을 위한 훈련은 시간을 들여서 생각하고, 과제를 매일 조금씩 천천히 실천한다. 인성과 실력을 통한 삶의 변화를 목표로 한다. 금방 결과가 안 나온다. 성적이 나오는 것에만 열을 올리는 학부모와 학생들이 이 교육을 잘 못 견딘다. 눈에 보이는 시험 점수는 빨리 결과가 나와야 하기 때문이다. 진정한 실력이 성적이 아닌데도 말이다.

나는 학생들을 단지 성적으로 평가하는 말을 하지 않는다. 학생들이 자신이 가진 흥미와 재능을 발견하는 데 도움을 주고 있다. 학생들의 관심사를 소중히 여기면서 존중하고 소통하고 싶다. 나는 학생들에게 단지 돈을 벌기 위한 진로가 아니라 자신의 재능을 최대로 발휘할 '나의 꿈'을 가지라고 격려한다.

진로

진로라는 말의 뜻은 앞으로 나아가는 길이다. 간단한 설명이지만 인생의 길을 모두 포함한다. 앞으로 나아간다는 의미는 일을 포함한다. 무엇보다 내가 원하고 하고 싶은 일을 해야 행복하다. 나는 남의 필요에 관심을 가지고 필요를 채우는 것이 직업이고 진로라고 생각한다. 진로의 영역은 크게 4가지다.

첫째, 자아 이해 및 긍정적 자아개념 형성이 필요하다. 자아존중감을 느끼고 자신을 돌보는 능력을 함양한다. 자기 적성과 흥미를 다양하게 탐색한다. 자신의 꿈과 비전을 구체화한다.

둘째, 대인관계 및 의사소통역량을 개발한다. 대상과 상황에 맞는 대인관계능력을 함양한다. 효과적인 의사소통의 방법을 이해하고 함양한다.

셋째, 일과 직업 세계의 이해가 필요하다. 다양한 직업 유형과 진로 경로를 이해한다. 사회변동에 따른 직업 세계의 변화를 이해한다.

넷째, 건강한 직업의식을 형성한다. 직업 생활에서 윤리 의식과 책임감의 필요성을 인식한다. 직업 생활에 대해 긍정적이며 적극적인 태도를 형성한다. 직업에 대한 고정관념을 극복하고 개방적인 인식을 발전시킨다.

MBTI와 진로

MBTI는 개인의 선호성향을 이해하고, 강점을 활용하며, 개선할 부분을 파악하는 데 도움을 준다. MBTI 성격유형은 나의 독특성을 긍정적인 용어들로 설명할 수 있다. 성격유형 특성은 강점으로 활용할 수 있다.

자신의 성격 스타일과 다른 직업이나 직책을 가졌을 경우 자기만의 스타일을 고집하지 말고 다른 선호 성향으로 기능을 계발시켜야 한다. 두 가지 기능을 모두 사용하면 발전과 성장에 유익하다. 또한 어려움과 갈등을 극복하도록 돕는다.

내가 내향적인 성격인데 강의를 하고 사람들과 소통하는 일도 해야 한다면 외향성이 부족한 부분이다. 내향적인 성격이 타고난 성격이지만 외향성을 개발해야 한다. 외향적인 사람과 만나서 소통하면 외향성을 기를 수 있다.

무슨 일을 하든지 하나보다는 두 개의 성격 특성이 필요하다. 교육도 연구 개발과 강의를 같이 해나가야 폭넓게 일을 할 수가 있다. 내가 강의에 자신 있는 외향형의 성격 스타일이라면 연구 개발에 효과적인 내향형의 성격 특성을 개발하도록 노력해야 한다. 내향적인 사람을 만나서 소통하면 도움을 얻을 수 있다.

ST-실제적, 사실적, 행정에 유리

SF-동정적, 우호적, 사람과 연관

NF-이상적, 사랑이 많다, 사람 안에 있는 가능성을 다룬다. 글을 쓴다.

NT- 직관, 논리적, 공부 잘한다. 수학과 과학에 강하다.

(직관적(N) 성향을 보인 구성원은 창의적인 아이디어 제시에 유용하다.
사고적(T) 성향을 보인 구성원은 분석과 판단력에 능숙할 수 있다.)

<외향형과 내향형의 작업 유형>

외향형

활동 지향이고, 다양하고, 다른 사람들과 자주 상호작용할 수 있는 작업환경을 즐긴다.

내향형

조용하고, 사적이며, 업무에 집중할 수 있는 작업환경을 선호한다.
나의 일이 방해받거나 급하게 재촉받

나의 일이 느리게 진행되고 변화가 없을 때 참을 수 없으며 싫증이 난다.

행동 지향적인 다양한 업무를 추구

나의 업무뿐만 아니라 직장에서 진행되고 있는 것에도 동등하게 관심을 기울인다.

요구에 신속히 반응하며 사전에 많은 생각을 하지 않고 행동으로 옮긴다.

기분 전환 삼아 전화 걸기를 즐긴다.

토의를 통해 내 생각을 발전시킨다.

과업을 완성하는데, 외부의 자원을 사용한다.

일의 진행에 종종 변화가 필요하며 외부 사건들을 찾아다닌다.

을 때 참을 수 없으며 괴로워진다.

집중할 수 있는 조용함을 추구한다.

직장에서 진행되고 있는 것보다는 업무 자체에 더 관심을 기울인다.

반응을 하기 전에 질문들을 철저히 생각하며 행동으로 옮기는 경우가 있다.

집중하는데 전화 걸기는 방해가 된다.

심사숙고를 통해 내 생각을 발전시킨다.

나의 일에 집중하고 외부 사건들은 안중에 없다.

< 감각형과 직관형의 작업 유형>

감각형

실제와 실용화할 수 있는 생산품을 만들어내는 작업환경을 선택하며, 혹은 사람들이나 조직에 대해 실제로 실용적인 서비스를 제공할 수 있는 작업환경을 선택한다.

사람과 사물과 자료와 함께 신중하게 작업하는 데에 그들의 감각 선호 경향을 사용할 수 있는 곳을 좋아한

직관형

새로운 상품이나 서비스를 생산해내는 작업환경을 선택하고 싶어 한다.

사람들이나 사물들, 그리고 자료들의 새로운 가능성을 발견하기 위해 사용하거나. 이들의 미래의 욕구를 채우기 위해 사용할 수 있는 곳을 좋아한다.

계속 새로운 일을 배울 기회를 제

다.

기술을 배우고 그것을 확실히 숙달할 때까지 실습해볼 수 있는 작업환경을 선호한다.

이전에 내가 습득한 직업 경험을 활용한다.

문제를 해결하고 해결책에 도달하는데에서 표준적인 방식의 진가를 인정한다.

새로운 기술을 배우려고 시간을 들이기보다는 이미 알고 있는 기존의 기술을 적용한다.

나의 영감을 믿지 않으며, 무시한다.

사물들을 구체적으로 언급하는 것을 좋아하며 사실에 대해서는 거의 실수하지 않는다.

실용적인 면을 지닌 일을 좋아한다.

일의 세세한 부분들이 어떻게 구성되어 전체를 이루는지를 이해하려고 한다.

현재 시도되는 것들과 실제의 일들을 계속하려고 하며 조화를 이루기 위해 적응하는 것을 좋아한다.

공해 주는 작업환경을 선호한다

이전에 내가 얻은 작업 경험이 나타내는 것보다는 좀 다르게 일을 한다..

문제를 해결하고 그 해결책에 도달하기 위해 새롭고 특이한 방식을 사용한다.

도전이나 혁신과 관련되는 새로운 기술을 배우는 것을 즐긴다.

현실과 무관하게 나의 영검에 따른다.

사물을 일반적으로 언급하는 것을 좋아하며, 구체적인 사실들에 대해서는 걱정하는 일이 드물다.

혁신적인 면을 지닌 일을 좋아한다.

전체적으로 어떤 것이 관련되어 있는가를 알고 난 후에 세부적인 것들을 채워나가기를 원한다.

현재의 것을 계속하기보다는 종종 주로 재적응해가면서 변화하는 것을 좋아한다.

<사고형과 감정형의 작업 유형>

사고형

보다 감정이 개입되지 않는 환경, 논리에 따라 조절되는 환경을 선택하는 경향이 있다.

나는 과업 지향적이다.

조화를 좋아하나, 조화롭지 않아도 잘 지낼 수 있으며 여전히 업무를 효율적으로 해낸다.

나의 업무뿐만 아니라 직장에서 진행되고 있는 것에도 동등하게 관심을 기울인다.

나의 업무의 기본으로 논리와 분석을 사용한다.

비고의적으로 다른 사람들의 감정을 상하게 한다.

개선하기 위해서라면 언제라도 비평하거나 제안한다.

업무와 관련된 결정을 내릴 때면 원리와 진실에 따라 분석한다.

일의 진행에 종종 변화가 필요하며 외부 사건들을 찾아다닌다.

감정형

사람들 간의 인간관계를 중시하고, 사람들의 개인적인 욕구를 만족시키는 데에 중점을 두는 개인적인 작업환경을 선호하는 경향이 있다.

나는 인간관계 지향적이다.

업무를 최대한 효과적으로 해내기 위해 조화가 있어야 한다.

직장에서 진행되고 있는 것보다는 업무 자체에 더 관심을 기울인다.

업무의 기본으로 개인의 가치 기준들과 더불어 다른 사람의 견해도 포함한다.

나의 일에 집중하고 외부 사건들은 안중에 없다.

다른 사람들의 감정에 주의를 기울이며 사소한 일이라 할지라도 사람들을 기쁘게 하는 것을 즐거워한다.

당연한 경우에도 불유쾌한 반응을 주거나 받는 것을 싫어하며 회피한다.

업무와 관련된 결정을 내릴 때면 기저에 있는 가치와 인간적인 욕구를 분석한다.

<판단형과 인식형의 작업 유형>

판단형

구조적이고 조직적이며 미리 계획을 세우는 작업환경을 선택하는 경향이 있다. 판단형들은 결정을 내리는 환경을 선호한다.

나의 일을 계획할 수 있고 계획하는 일을 할 수 있을 때 최선을 다한다.

일을 정착시키고 완성하는 것을 즐긴다.

내가 해야 할 일들의 목록에서 문항들을 지워나가는 것을 좋아한다.

현재 나의 일을 완성하기 위해 행해야 할 새로운 일들을 그리 중요하게 생각하지 않는다.

가능성을 희박하게 보며, 일단 결정을 내리면 만족한다.

신속하게 결정하고 마감하려 한다.

나 자신과 다른 사람들의 일정에서 구조성을 원한다.

나의 업무와 다른 사람들의 업무를 규제하고 통제하기 좋아한다.

인식형

자율적이고, 융통성이 있고, 변화가 가능한 작업환경을 선호하는 경향이 있다. 인식형들은 그들 업무의 일부로써 정보를 수집하는 것을 좋아한다.

불시에 생기는 업무를 처리할 수 있을 때 최선을 다한다.

마지막 변화의 순간까지 일을 개방한 상태로 보류하는 것을 즐긴다.

어쩌다가 작성한다고 해도 내가 해야 할 일들의 목록을 무시한다.

매 순간 벌어지는 일들을 해결하기 위해 나의 현재 업무를 미룬다.

더 많은 정보를 수집하기 위해 결정에 얽매이는 것을 거부한다.

결정을 미루며 가능성을 찾는다.

구조에 거부감을 느끼며 변화하는 환경을 좋아한다.

나의 업무와 다른 사람들의 업무를 자유롭게 할 수 있도록 놓아두기를 원한다.

<4가지 기질별 진로>

1. 전통주의자: 감각-판단(SJ) 기질, ISTJ, ISFJ, ESTJ, ESFJ

SJ 기질은 전통적이고 보수적인 기질을 가지고 있으며 나머지 세 기질에 비해서 가장 정직하고 부지런하며 자신에게 주어진 일을 꼼꼼히 누가 보든 그렇지 않든 간에 열심히 하는 근면한 성격의 소유자들이다.

주기능이 감각인 (S) ISTJ, ISFJ의 경우 세밀한 관찰과 확인해야 하는 직업에 잘 적응할 수 있다.

SJ 성격의 소유자들은 공통으로 치밀하고, 완벽한 성격을 가지고 있어 자기 스스로 계획을 한 뒤 이를 실천해 가는 과정에서 피곤해하며 지치기도 한다. 모든 일을 직접 확인하길 좋아하며 그렇지 않고서는 마음이 편하지 못하다.

* ST는 실제적이고 사실적인 강점이 있어서 행정이나 사업에서 이 강점을 발휘할 수 있다. SF-동정적, 우호적, 사람과 연관

2. 경험주의자: 감각-인식(SP) 기질 ISTP, ISFP, ESTP, ESFP

SP 기질은 다른 기질에 비해서 대단히 낙천적이고 자유를 즐기며, 그리고 반복되는 일을 하길 싫어한다. 그래서 이들은 다양한 활동과 긴장감이 있는 직업을 선호하며, 다소 모험이 따르더라도 이를 선택한다. 그리고 일을 하는 것에 대해 하나의 '노동'이라고 생각하기보다는 그 자체가 '생활의 일부분'으로 생각할 만큼 인생을 즐길 줄 안다. 여기에다 손으로 하는 장인 정신이 있다.

이들 SP 들은 SJ 들과는 달리 안정보다는 무엇인가 생활에 재미가 있는 직업을 선호하는 경향이 있다. 한 곳에 가만히 앉아서 하는 일이나 같은 일을 반복하는 직업에는 오래 견디지 못한다.

3. 합리주의자: 직관-사고(NT) 기질, INTJ, INTP, ENTP, ENTJ

NT 기질은 다른 기질에 비해 지적인 일을 선호하는 경향이 있다. 그리고 무엇이든 반복되는 지루한 일을 피하고 무엇인가 생산적이며 창의적인 일을 선호한다. 이들은 주로 그들의 창의적 아이디어를 활용할 수 있는 직업을 택하려 하며, 될 수 있으면 사람들과의 협조나 협력을 요구하는 것보다는 혼자서 일을 과감하게 처리할 수 있는 독립적인 일을 찾게 된다.

번쩍이는 아이디어가 있다. 누구에게 간섭받고 통제받는 것을 싫어한다. 마당발이기도 하다. 지도자적인 자질도 있다.

독립적인 일을 선호한다. 이들이 이론과 아이디어를 제공해 소프트웨어를 제공하긴 하지만 여전히 그 속을 채워주는 하드웨어의 역할은 감각형(S)의 사람들이 있어야 한다는 것이다.

개인의 성격을 고려한 진로 선택이 더 효과적이고 그 분야에서 성공할 확률이 높고, 인생을 즐겁게 살아갈 수 있다.

*NT- 직관, 논리적, 공부 잘한다. 연구원, 수학, 과학

4. 이상주의자: 직관-감정(NF) 기질, INFJ, INFP, ENFP, ENFJ

NF 기질은 네 유형 모두 부드러운 성격의 소유자라고 말할 수 있다. 그리고 무엇보다도 인간적이며, 인간의 존재에 대한 의미를 중요시한다. 이런 관계로 이들은 주로 인간과 관련된 직업을 선호하는 경우가 많다.

이 가운데 직관(N)을 주기능으로 하는 INFJ와 ENFP의 경우 창조적이고 새로운 아이디어가 있어야 하는 직업을 선호한다. 감정(F)을 주기능으로 하는 INFP, ENFJ 유형은 뭔가 다른 사람들에게 봉사할 수 있는 직업을 선호하게 될 것이다.

*NF-, 이상적, 사랑이 많다, 사람 안에 있는 가능성을 다룬다. 상담, 글을 쓴다.

<16가지 성격 유형 특성>

ISTJ 원칙가 (세상의 소금형, 교과서) 한번 시작한 일은 끝까지 해내는 사람들
사실적인 /철저한 /체계적인 /신뢰할 수 있는 /실제적인 /조직화한 /의무적인 분별 있는 /근면한

ISFJ 수호자 (참모, 정리 정돈형의 비서) 성실하고 온화하며 협조를 잘한다.
상세한 /성실한 /충실한 /참을성 있는 /조직화한 /봉사적인 /헌신적인 /보호하는 / 매우 섬세한

ESTJ 행정가 (사업가형, 불도저) 사무, 실용, 현실형 스타일로 일을 처리한다.
논리적인 /결정적인 /체계적인 /효율적인 /객관적인 /실제적인 /비개인적인 / 구조화된 / 책임질 수 있는

ESFJ 친절가 (친선도모형, 사교계의 여왕) 친절과 현실감으로 남에게 봉사한다.
성실한 /충성스러운 /사교적인 /개인적인 /조화로운 /협동적인 /재치 있는 /철저한 / 감동하기 쉬운

INFJ 공감자 (예언자형) 사람에 관한 뛰어난 통찰력을 가지고 있는 사람들
헌신적인 /충실한 /자비로운 /창의적인 /열정적인 /결심이 굳은 /개념적인 /전체적인

INTJ 연구자 (과학자형, 확고한 신념) 전체를 보고 비전을 제시하는 사람들
독립적인 /논리적인 /비판적인 /독창적인 /체계적인 /비전이 있는 /이론적인 / 기준이 높은

ENFJ 연설가 (언변능숙형, 화합의 지도자) 타인의 성장을 도모하고 협동하는 사

람들

　충성스러운 /이상적인 /개인적인 /책임질 수 있는 /표현적인 /열성적인 /열정
적인 / 외교적인 /염려하는

ENTJ 지도자 (지도자형) 비전을 가지고 사람들을 활력적으로 이끌어가는 사람들
　논리적인 /결정적인 /계획이 많은 /전략적인 /비판적인 /조절된 /도전적인 /직
선적인 / 객관적인

ISTP 기술자 (백과사전형, 관찰력 뛰어남) 논리, 뛰어난 상황 적응력을 가진다.
　객관적인 /편의적인 /실제적인 /현실적인 /사실적인 /독립적인 /모험적인 /자
발적인

ISFP 예술가 (성인군자형) 따뜻한 감성을 가지고 있는 겸손한 사람들
　돌보는 /부드러운 /온화한 /융통성이 있는 /민감한 /예리한 /협동적인 /충성스
러운 / 자발적인 /이해하는

ESTP 활동가 (수완 좋은 활동가, 몸 움직임) 친구, 운동, 음식 등 다양함을 선호.
　행동 지향적인 /융통성 있는 /재미를 좋아하는 /재주가 많은 /열정적인 /낙천
적인 /민첩한 / 자발적인 /실용적인

ESFP 사교가 (사교형, 인간관계에 탁월) 분위기를 고조시키는 우호적인 사람들
　열성적인 /융통성 있는 /쾌활한 /우호적인 /명랑한 /사교적인 /표현적인 /협동
적인 /느긋한

INFP 이상가 (타고난 몽상가, 인간의 향기) 이상적인 세상을 만들어가는 사람들
　자비로운 /부드러운 /융통성 있는 /헌신적인 /모험심이 있는 /창의적인 /충성
스러운 / 헌신하는 /깊이 있는

INTP 사색가 (아이디어 뱅크형, 수재형) 비평적인 관점을 가진 뛰어난 전략가들
　논리적인 /회의적인 /인지적인 /초연한 /이론적인 /독립적인 /사색적인 /독창
적인

ENFP 열정가 (스파크형) 열정적으로 새로운 관계 만드는 사람들
　창의적인 /호기심 있는 /열성적인 /재주가 많은 /표현적인 /독립적인 /우호적
인 /열정적인

ENTP 탐험가 (발명가형) 풍부한 상상력으로 새로운 것에 도전한다.
진취적인 /독립적인 /솔직한 /전략적인 /창의적인 /융통성 있는 /도전적인 /분석적인 / 자원이 풍부한

MBTI 외의 에니어그램이나 다른 성격유형은 진로에서 종합적인 이해에 필요하다. 다양한 이해는 더 풍성하고 균형잡힌 시각을 준다. '3가지 성격유형 진로 탐색' 책을 참고하기 바란다.

<코칭 질문>

1, 나의 강점과 잠재 능력은 무엇인가?

2. 보완해야 할 점이나 노력해야 할 점이 있는가?

3. 새롭게 알게 된 내용과 유익한 점은 무엇인가?

MBTI와 행복

1. 자기 인식과 자기 일치는 자기 만족감과 행복감을 얻는다.

2. 강점을 활요하면 성취감을 얻는다.

3. 사회적 연결과 인간관계는 행복과 만족감을 제공한다.

4. 목표 달성, 자기실현 및 자기 개선을 통해 행복을 준다.

▶스트레스

스트레스는 적응하기 어려운 환경에 처할 때 느끼는 심리적이고 · 신체적인 긴장 상태이다. 청소년들은 학업 스트레스가 있다. 직장인들은 업무와 인간관계의 어려움, 상사와의 갈등 때문에 스트레스를 받는다. 성격에 따라 사소한 말이나 눈빛으로도 스트레스를 받을 수 있다. 지속되면 심장병, 위궤양, 고혈압, 소화불량 따위의 신체적 질환을 동반한다. 불면증, 신경증, 우울증 따위의 심리적 부적응을 보이기도 한다.

<4가지 선호경향 스트레스 관리하는 방법>

외향형(Extroversion)

사람들과의 상호작용을 통해 에너지를 얻는 경향이 있다.

소셜 네트워크: 가까운 친구나 가족과 소셜 네트워크를 통해 이야기하고 지지를 얻는 것이 스트레스를 해소하는데 도움이 된다.

내향형(Introversion)

혼자서 있는 시간을 통해 에너지를 회복한다.

자기 돌봄: 혼자서 조용한 시간을 갖는 것이 스트레스를 해소하는데 도움이 된다. 책 읽기, 명상, 자기 시간을 갖기.

창작적인 활동: 예술, 글쓰기, 그림 그

활동적인 활동: 운동, 스포츠, 댄스 등 활동적인 활동을 통해 긴장을 풀 수 있다.

리기 등 자신의 창의력을 발휘하는 활동을 통해 스트레스를 해소할 수 있다.

감각형(Sensing)

현재의 사실과 경험에 의존하여 문제를 접근한다.

현실적인 해결책: 현실적이고 구체적인 방법으로 문제를 분석하고 해결책을 찾는 것이 도움이 된다.

실제 경험: 산책, 자연과 접촉, 실제 경험을 통해 해소하는 것이 좋다.

직관형(Intuition)

패턴과 가능성을 파악하는 경향이 있다.

창의적인 해결책: 창의적이고 비구조로 문제를 해결하는 것이 도움이 된다.

심리적 통찰: 스트레스를 느낄 때 직관적인 통찰력을 통해 자신의 감정과 이유를 이해하는 것이 중요하다.

사고형(Thinking)

논리적이고 객관적으로 문제를 해결.

문제 해결: 감정이 개입되지 않도록 논리적으로 문제를 분석하고 해결하는 것이 스트레스를 해소하는데 도움.

목표 설정: 목표를 설정하고 그에 맞춰 계획을 세우는 것이 스트레스 관리에 도움이 된다.

감정형(Feeling)

감정에 중점을 두고 문제를 접근함.

감정 표현: 감정을 표현하고 공감하는 것이 중요하다. 가까운 사람들과 이야기하고 감정을 나누는 것이 도움.

감정적인 활동: 예술, 음악, 문학 등 감정적인 표현을 할 수 있는 활동이 도움이 된다.

판단형(Judging)

판단형은 계획적이고 결정적인 경향을 가진다.

계획 수립: 판단형은 계획을 세우고 일정을 지키는 것이 스트레스를 해소하는데 도움이 된다.

목표 달성: 목표를 달성하고 결과를 얻는 것이 스트레스 해소에 도움이 된다.

인식형(Perceiving)

인식형은 융통성 있고 적응적인 경향을 가진다.

유연한 접근: 융통성 있고 적응적으로 상황에 대응하는 것이 스트레스 관리에 도움이 된다.

새로운 경험: 새로운 경험을 통해 자신의 지식과 시야를 넓히는 것이 스트레스를 해소하는데 도움이 된다.

<성격유형별 스트레스 관리하는 방법>

ISTJ (Introverted, Sensing, Thinking, Judging):

계획 수립: 계획을 세우고 일정을 지킨다.

구체적인 문제 해결: 감정보다는 논리적으로 분석하고 실제적인 해결책을 찾음.

ISFJ (Introverted, Sensing, Feeling, Judging):

동료들과 공감: 지지를 위해 친구나 가족과 이야기하고 공감을 얻는 것이 중요.

자기 돌봄: 조용한 시간을 가져 자기 돌봄에 집중할 필요가 있다.

INFJ (Introverted, Intuitive, Feeling, Judging):

창의적인 활동: 예술, 글쓰기 등의 창의적인 활동에 시간을 투자할 수 있다.

명상과 내성적인 시간: 내면을 돌아보고 조용한 공간에서 명상하고 사색하기.

INTJ (Introverted, Intuitive, Thinking, Judging):

문제 해결: 논리적으로 문제를 분석하고 최선의 해결책을 찾기 위해 노력한다.

적극적인 활동: 운동이나 다른 적극적인 활동을 통해 긴장을 풀 수 있다.

ISTP (Introverted, Sensing, Thinking, Perceiving):

신체적 활동: 운동이나 야외 활동에 시간을 투자한다.

문제 해결과 자기 표현: 해결 방법을 위해 개인적인 생각 시간을 가지기.

ISFP (Introverted, Sensing, Feeling, Perceiving):

예술과 창작: 예술, 음악, 그림 등 자신의 감정을 표현하는 창작 활동에 힘쓰기.

자연과 접촉: 자연과 함께 시간을 보내며 스트레스를 덜어낼 수 있다.

INFP (Introverted, Intuitive, Feeling, Perceiving):

감정 표현: 자신의 감정을 솔직하게 표현하고 공감을 얻는 것이 중요하다.

휴식과 내면 탐구: 혼자서 내면을 탐구하고 휴식을 취하기.

INTP (Introverted, Intuitive, Thinking, Perceiving):

지적인 도전: 새로운 지식과 도전을 통해 스트레스를 분산시킬 수 있다.

혼자서 조용한 시간: 혼자서 자신의 아이디어를 따라가고 문제를 해결하기.

ESTJ (Extroverted, Sensing, Thinking, Judging):

리더십 활동: 주변 사람들과 함께하는 리더십 활동이 문제를 해결하는데 도움.

정리와 계획: 목표를 설정하고 그에 맞춰 계획을 세워 진행한다.

ESFJ (Extroverted, Sensing, Feeling, Judging):

소셜 네트워크: 친구나 가족과 소셜 네트워크를 통해 이야기하고 지지를 받기.

자기 돌봄과 타인 돌보기: 사람과 함께하는 활동과 자기 돌봄을 같이 챙기기.

ENFJ (Extroverted, Intuitive, Feeling, Judging):

감정 표현과 공감: 주변 사람들과 감정을 표현하고 공감받기.

사회적 기여: 다른 사람들을 도와주고 봉사하기.

ENTJ (Extroverted, Intuitive, Thinking, Judging):

목표 지향적 활동: 목표를 설정하고 그에 맞춰 계획을 세우기.

문제 해결과 리더십: 문제를 해결하고 리더십 활동으로 에너지를 집중하기.

ESTP (Extroverted, Sensing, Thinking, Perceiving):

신체적 활동: 운동, 스포츠, 야외 활동을 통해 긴장을 풀 수 있다.

문제 해결과 도전: 문제를 해결하고 도전적인 활동하기.

ESFP (Extroverted, Sensing, Feeling, Perceiving):

예술과 창작: 예술, 음악, 그림 그리기 등 창의적인 활동하기.

자연과 접촉: 자연과 함께 시간을 보내며 스트레스를 덜어낼 수 있다.

ENFP (Extroverted, Intuitive, Feeling, Perceiving):

새로운 경험과 사회적 활동: 새로운 경험과 사회적인 활동에 참여하기.

감정 표현과 자기 표현: 감정을 표현하고 자신을 표현하는데 시간을 투자하기.

ENTP (Extroverted, Intuitive, Thinking, Perceiving):

도전적인 활동과 문제 해결: 도전적인 활동과 문제를 해결하기.

새로운 아이디어와 상상력: 새로운 아이디어를 찾고 상상력을 발휘하기.

▶ MBTI 성격유형별 음악 취향

음악은 너무나 다양한 분야다. 장르나 주제를 넘어서 범위를 제한하기가 어렵다. 음악 장르만 해도 18가지 이상이다. 클래식, 재즈, CCM, 팝, 발라드, 블루스, 힙합, 컨트리 음악, 포크 음악, 레게, 디스코, 록 음악, 전자 음악, K-POP, 트로트, 댄스, EDM(Electronuc Dance Music), 로큰롤 등이 있다. 내가 좋아하는 음악은 클래식이나 발라드 계통이다. 나는 밝은 목소리의 리듬감 있고 경쾌한 음악을 좋아한다. 에너지 넘치는 제이슨 므라즈의 'I'm yours.' 같은 노래를 통해서 마음에 힘을 얻는다.

음악은 성격과 관련이 많다. 내가 삼십 대 때 심리 상담연구원에서 상담을 공부했다. 같이 공부하시는 나이가 좀 지긋하신 50대가량의 여성분이 모임에서 자신이 좋아하는 노래라면서 인터넷으로 음악을 들려주었다. 그 노래가 '찔레꽃'이라 기억된다. 나는 그 노래를 듣는 몇 분이 너무 길었다. 아무런 감흥이 안 왔다. 그러나 노래를 추천하신 여성분은 상념에 잠긴 듯한 미소를 지으면서 줄곧 노래에 깊이 빠져 계셨다. '저런 노래가 뭐가 좋지?'라고 나는 생각했다.

세상을 살면서 깨닫는 한 가지는 사람들은 자신이 듣고 싶은 것만 듣고, 보고 싶은 것만 본다는 것이다. 나는 초등학교 3학년부터 고등학생을 대상으로 온라인 교육을 하고 있다. 놀라운 것은 초등학교 3학년도 이런 현상을 보이고 있다. 남만 그런 게 아니고 나도 그렇다. 게다가 음악도 그렇다.

성격과 노래는 연관이 있다. 나는 성격 유형 중에서 에니어그램과 MBTI를 꾸준히 배우고 있다. 이 과정을 배우면서 에니어그램과 MBTI 성격별로 좋아하는 노래가 다르다는 것을 알게 되었다. 모임에 참여한 수강생의 성격유형 그룹별로 좋아하는 노래의 취향이 달랐다.

음악의 세계와 성격의 세계는 비슷하다. 내가 좋아하는 취향을 떠나서 다른 노래를 들어보면 또 다른 정서를 느낀다. 나는 굵은 베이스톤의 가라앉는 목소리의 느린 음악을 들을 때 축 처진다. 내가 이런 정서 상태에 머무는 것을 좋아하지 않으나 나의 어두운 감정을 건드리는 느낌이 든다.

성격의 밝고 어두움은 사실 동전의 양면이다. 동전이 양면이듯이 사람에게는 이 두 가지가 다 있다. 낮과 밤이 있고 빛과 어두움이 있듯이 말이다. 누구는 낮을 더 즐기고 누구는 밤을 더 즐기는 차이가 있을 뿐이다. 낮을 즐기는 사람이 밤의 세계를 알면 낮과 밤 모두를 즐기면서 살 수 있다.

나에게도 즐거움과 슬픔이 동시에 있다. 느리고 낮고 무거운 느낌의 이별과 고독에 관한 노래에도 내 삶의 한 단면이 있다. 밝은 노래를 통해 에너지를 얻고, 어두운 노래를 통해 감정의 치유 기능을 맛본다. 마음의 깊은 곳을 터치하는 느낌이다. 음악도 한 가지에 꽂히기보다는 다른 세상에도 발을 들여놓고 경험하면서 더 넓고 깊은 세계의 신비를 누려보고 싶다.

<성격유형별 선호 음악>

ISTJ (청렴결백한 논리주의자): 클래식 음악, 재즈, 어쿠스틱, 전통 음악 등 정형화된 장르를 선호할 가능성이 높다. 안정적이고 질서 정연한 음악을 선호할 수 있다.

ISFJ (용감한 수호자): 발라드, 국악, 포크 음악 등 어떤 면에서는 따뜻하고 고요한 음악을 선호할 수 있다.

INFJ (선의의 옹호자): 세련된 클래식, 뉴에이지 음악, 영화 음악, 인디 음악 등 더욱 특별하고 독특한 음악을 선호할 가능성이 높다.

INTJ (용의주도한 전략가): 록, 메탈, 클래식 음악 등 강렬하고 현란한 음악을 선호할 수 있다.

ISTP (만능 재주꾼): 락, 힙합, 일렉트로닉 댄스 음악 등 흥겨운 리듬과 독특한 사운드를 선호할 수 있다.

ISFP (호기심 많은 예술가): 팝, 인디 음악, 어쿠스틱, 발라드 등 다양한 장르의 감성적인 음악을 선호할 가능성이 높다.

INFP (열정적인 중재자): 뉴에이지, 클래식, 알앤비, 소울, 발라드 등 감성적이고 청중과 공감할 수 있는 음악을 선호할 수 있다.

INTP (논리적인 사색가): 오케스트라, 영화 음악, 뉴에이지 음악 등 복잡하고 추상적인 음악을 선호할 가능성이 높다.

ESTP (모험을 즐기는 사업가): 힙합, 댄스, 클럽 음악 등 활기찬 리듬과 도전적인 음악을 선호할 수 있다.

ESFP (자유로운 영혼): 팝, 댄스, 힙합, 레게 등 활기차고 쾌활한 음악을 선호할 가능성이 높다.

ENFP (재기발랄한 활동가): 팝, 록, 댄스, 인디 음악 등 다양하고 역동적인 음악을 선호할 수 있다.

ENTP (기민한 변론가): 올드스쿨 힙합, 얼터너티브 락, 클래식 음악 등 독창적이고 변화를 주는 음악을 선호할 가능성이 높다.

ESTJ (엄격한 관리자): 클래식, 락, 팝 음악 등 전통적이고 규칙적인 음악을 선호할 수 있다.

ESFJ (사교적인 외교관): 팝, 발라드, R&B, 댄스 음악 등 사람들과 함께 즐길 수 있는 음악을 선호할 가능성이 높다.

ENFJ (정의로운 사회운동가): 뉴에이지, 영화 음악, 락 등 따뜻하고 감동적인 음악을 선호할 수 있다.

ENTJ (대담한 통솔자): 락, 메탈, 클래식 음악 등 강력하고 리더십을 강조하는 음악을 선호할 가능성이 높다.

<MBTI와 감정조절>

에너지 방향을 내향적(Introverted, I) 또는 외향적(Extroverted, E)으로 나눈다. 에너지 방향은 감정조절에 영향을 미친다.

내향형 (Introverted, I): 내향형은 자기 내면에서 에너지를 얻는다. 외부 자극에 의존하기보다는 자신의 감정에 집중할 수 있다. 혼자서 감정을 깊이 생각하고 처리한다.

외향형 (Extroverted, E): 외부 자극에서 에너지를 얻는다. 다른 사람들과 상호작용하고 대화함으로써 감정을 조절한다. 외부적인 요인들이 감정에 영향을 끼치는 것을 경험한다.

사고형 (Thinking, T): 논리적인 접근법을 사용할 수 있다. 감정이 개입되기 전에 상황을 분석하려고 할 수 있다.

감정형 (Feeling, F): 다른 사람들과의 감정적인 연결에 더 중점을 둔다. 감정을 감지하고 이해하는 데 능숙하다. 감정에 대한 인식을 통해 자신의 감정을 더 잘 조절할 수 있다.

ISTJ, INTJ (Introverted, Sensing/Thinking/Judging): 논리적인 접근법을 통해 감정을 조절하고 분석한다. 감정적인 상황에서도 논리를 우선시함으로써 감정을 억제하거나 이해하려고 노력할 수 있다.

ENFJ, ESFJ (Extroverted, Feeling/Judging): 감정을 감지하고 다른 사람들과의 감정적인 연결을 통해 감정을 조절한다. 다른 사람들의 감정에 민감하게 반응하며, 상대방의 감정을 이해하고 공감하는 능력을 갖추고 있다.

ENFJ, ESFJ (Extroverted, Feeling/Judging): 감정을 감지하고 다른 사람들과의 감정적인 연결을 통해 감정을 조절한다. 다른 사람들의 감정에 민감하게 반응하며, 상대방의 감정을 이해하고 공감하는 능력을 갖추고 있다.

<코칭 질문—목표를 현실로 만들기>

1. 내가 바라는 목표는 구체적으로 무엇인가?

2. 목표를 얻은 것을 어떻게 알 수 있는가?

3. 목표는 언제, 어디서, 누구와 만들고 싶은가?

4. 그것을 얻으면 나와 나의 주변은 어떻게 달라지는가?

5. 내가 이미 가지고 있는 경험과 능력은 무엇인가?

   –목표를 이루기 위하여 더욱 필요한 것은 무엇인가?

6. 현재 목표를 얻는 것을 막고 있는 것은 무엇인가?

7. 목표를 막고 있는 것을 어떻게 극복할 예정인가?

8. 그러면 우선 무엇부터 시작해야 하는가?

▶ 학습

4가지 선호성향에 따라 다른 학습 방법을 선호하는 경향이 있다. 나는 남과 다르기에 성격에 맞는 학습 방법이 있다.

외향형(Extroversion)

학습할 때 사람들과 함께하는 활동을 선호한다. 토론이나 그룹 프로젝트를 통해 새로운 개념을 이해하고 학습한다. 대화를 통해 아이디어를 발전시키고 다른 사람들의 관점을 듣는 것을 중요시한다.

내향형(Introversion)

혼자서 학습하는 시간을 더 선호한다. 독서, 자기 연구, 인터넷을 통한 자료 수집 등 개인적인 학습 방식을 선호한다. 조용하고 집중된 환경에서 개념을 탐구하고 내부적으로 생각을 정리하는 것을 중요시한다.

직관형(N)

큰 그림을 이해하고 개념을 이해하는 데 중점을 둔다. 이론적인 접근을 통해 문제를 해결하고 전체적인 개념을 파악하는 것을 선호한다. 추상적인 개념을 연결하고 비전을 구체화하는 것을 중요시한다.

감각형(S)

구체적인 사실과 세부 사항에 주의를 기울인다. 실제 경험과 사례를 통해 학습하며 실제적인 예시를 통해 개념을 이해하는 것을 선호한다. 구체적인 사례와 경험을 통해 문제를 해결하는 것을 중요시한다.

사고형(T)

논리적이고 분석적인 방식으로 학습한다. 개념을 분해하고 조직적인 접근을 통해 문제를 해결한다. 논리적인 흐름과 패턴을 이해하는 것을 중요시한다.

감정형(F)

개인적인 가치와 감정을 학습에 반영하는 것을 선호한다. 타인의 감정에 민감하게 반응하며, 공감과 협력을 통해 학습을 진행하는 것을 중요시한다.

판단형(J)

계획을 세우고 목표를 설정하여 학습에 집중한다. 일정을 따라가고 구조적인 방식으로 학습을 조직화한다.

인식형(P)

융통성과 적응력을 가지고 학습한다. 새로운 정보에 열린 마음으로 접근하고 자유로운 환경에서 유연하게 학습 계획을 조정한다.

<E가 많이 나온 경우>

1. 컴퓨터, TV, 핸드폰 등 외부 환경 요소를 가능하면 차단한다
2. 정돈된 환경 속에서 공부하라
3. 친구랑 몰려다니지 말아라
4. 자기가 확실히 알고 있는지 자기 확인을 철저히 하라
5. 방학 동안 지나친 선행학습을 피하고 복습을 하라
6. 경쟁자를 만들어라
7. 시험 후 반드시 검토(오답노트)
8. 스트레스 해소를 위해 동적 활동을 많이 하라

<I가 많이 나온 경우>

1. 한 가지 과목으로 지나치게 길게 계획을 잡지 말라.
2. 지나친 공상을 피하고 안될 경우 누군가 감시를 해줄 사람을 구하라(감독, 선생님, 공부파트너)
3. 수업 전에 반드시 예습을 하라
4. 모르는 것은 질문하고 의논하라
5. 방학 동안 꾸준한 복습은 필수
6. 힘들 때 외부 활동 자제하고 휴식
7. 한 문제를 너무 오래 잡아서 시간 낭비하지 마라
8. 소그룹이 더 효과적이다.

<S가 많이 나온 경우>

1. 전체 계획을 짜서 정해진 진도에 맞추도록 한다.

2. 너무 꼼꼼하게 한 번 보기보다 편하게 2번 보아라

3. 지나치게 부분에 집착해서 진도를 못 나가거나 시간을 끌지 말라

4. 필기에 집중하여 수업 전체 내용을 듣지 못하는지 경계하라.

5. 정답대로만 하려고 하지 않는지 경계하라

6. 독서를 많이 하여 다양한 생각을 기르도록 함

7. 영어에서 직독직해 연습을 한다 (문법에 집착하지 않도록 함)

<N이 많이 나온 경우>

1. 쓰면서 공부한다(대충하는 습관 방지, 빽빽한 노트 필기를 해야 함)

2. 대충 넘어가지 않는지 부분부분 꼼꼼히 체크

3. 채점할 때 답만 보고 넘어가지 말고 해설까지 꼼꼼히 읽어라

4. 필기하는 연습을 하라

5. 공부할 때 자기 맘대로 이렇겠지 하고 넘어가지 않도록 한다.

6. 현실의식을 높이기 위해 객관적 데이터를 자주 봐라

7. 수학, 과학에서 풀이 과정을 써가면서 하라

<T가 많이 나온 경우>

1. 공부의 당위성을 마음속 깊이 인정하라

2. 자기 맘대로 필요한 과목과 그렇지 않은 과목을 판단하지 마라.

3. 남의 충고나 공부 방법 중에서 좋은 것을 적극적으로 받아들인다

<F가 많이 나온 경우>

1. 감정에 치우쳐 해야 할 것들을 무시하거나 지르지 말라

2. 잔소리를 들어도 무조건 기분 나빠하지 말고 필요한 부분을 수용하라

3. 자기 격려 수단을 개발해라(힘이 나는 문구, 보상, 목표를 적어서 붙이기)

4. 동기부여를 위해 객관적 자료를 가까이한다

5. 잘못을 외부 요인으로 돌리지 마라

6. 독서할 때 소설 부문을 주로 읽도록 한다

4. 싫더라도 의무감으로 움직이고 노력해라

5. 친구 따라 하지 않는다(학원, 교재 선택)

6. 인간관계를 중시하다 손해보는 일이 없도록 한다(친구와의 약속, 핸드폰 답문 해주기)

7.논설문을 자주 읽는다

<J가 많이 나온 경우>

1. 정교한 계획보다 실천이 잘되는지 점검을 강화한다

2. 처음 자신이 계획 공부량의 80% 정도를 편성해서 실천율을 높인다

3. 계획을 짤 때 편성한 공부시간의 10% 정도 쉬는 시간을 마련해 둔다

4. 너무 사소한 것에 얽매이지 않기

5. 공부가 안되는 데 대해 지나친 스트레스를 받지 않는다

6. 규범이나 틀에 얽매이지 말라

7. 남의 잘못을 너그럽게 대해라

<P가 많이 나온 경우>

1. 반드시 계획을 짜라

2. 스스로에게 데드라인을 정하라

3. 자신이 계획한 공부의 120% 정도 편성하고 급한 마음이 들게 공부한다

4. 사소한 것도 신경 쓴다

5. 공부가 안되는 데 대해 마음 편하게 생각하지 마라

6. 메모하는 습관 필수

7. 정리하는 습관 필수

8. 미리미리 하는 습관 필수(나중에 하다가 인생이 망쳐짐)

▶ MBTI와 시간관리

시간관리는 개인의 우선순위, 성격, 업무 요구사항 등을 고려하여 시간을 활용할 수 있다.

외향형(E)

사람들과 함께하는 활동에서 에너지를 얻는다. 사회적인 모임이나 회의, 그룹 프로젝트와 같은 활동을 선호한다. 일정에 일관성을 유지하고 다양한 활동을 조화롭게 배치하면 좋다.

내향형(I)

내부적인 생각과 아이디어에 집중. 조용하고 평온한 환경에서 에너지를 충전. 조용한 시간을 활용하여 자신의 목표를 명확히하고 계획을 세우는 것이 도움.

직관형(N)

비전과 전략적 사고에 관심을 가진다. 큰 그림을 보며 목표를 설정하고 계획을 세울 때 시간을 투자한다. 시간을 관리하고 우선순위를 정하는 데 전략적인 접근을 선호한다.

감각형(S)

현실적이고 경험 중심으로 정보를 인식. 구체적이고 실용적인 일에 관심. 실질적인 계획과 실천이 중요. 명확한 목표와 일정을 세우고, 필요한 일들을 세부적으로 계획하여 단계적으로 진행하기.

사고형(T)

논리적이고 분석적인 방식으로 일을 처리한다. 시간을 관리하는 데 있어서 계획과 일정을 중요시한다. 이들은 목표를 세우고 계획을 따라가며 시간을 효율적으로 활용하려는 경향이 있다.

감정형(F)

감정에 민감하고 타인과의 관계 중요. 감정 상태를 이해하고 관리하기. 감정으로 우선순위를 설정. 대인관계에 시간을 투자하여 소통과 연결을 강화. 유연하게 일정을 조절하여 감정의 요구에 부응하기.

판단형(J)

일정 관리와 조직적인 방식을 선호한다. 세부 일정을 미리 계획하고 일정에 따라 진행한다. 시간을 효율적으로 활용한다. 일의 우선순위를 정하고 빠른 결정을 내리는 데 익숙하다.

인식형(P)

통찰력 있고 창의적인 아이디어에 관심. 융통성 있는 사고. 자유로운 사고와 흐름을 중요시하기.

목표 달성을 위해 창의적으로 문제를 해결. 유연한 일정과 창의성을 촉진하는 환경 조성.

▶. MBTI와 리더십

성격과 리더십은 관련이 있다. 리더는 팀 구성원들에게 개인적인 성장을 도모할 기회를 제공한다. 각자의 선호성향과 잠재력을 최대한 발휘하도록 돕는다. 이는 개인의 동기부여와 참여를 촉진하며, 팀의 성과와 생산성을 향상한다.

MBTI를 활용한 리더십은 리더와 팀 구성원들의 상호작용과 협력을 향상한다. 조직 내에서 리더십을 구축하는 데 기여한다. 각각의 선호성향은 리더십 스타일에 영향을 미친다. 리더는 팀 구성원들의 다양한 선호성향을 존중하고 이해하며, 이를 바탕으로 리더십 스타일을 조율한다.

<4가지 선호성향별 리더십 기르는 방법>

ESTJ (외향-감각-사고-판단)

구조화된 계획: 효율적인 조직과 계획을 중요시한다. 일정과 목표를 설정하고, 명확한 역할과 책임을 할당해주어라. 효율적인 업무 절차와 목표 달성을 위한 구체적인 계획을 강조해라.

명확한 의사소통: 명확하고 직접적인 의사소통을 선호한다. 목표와 기대를 분명하게 전달하고, 업무 진행 상황을 주기적으로 피드백해주어라. 구성원들의 질문과 의견을 적극적으로 수용하며, 의사결정 과정에 참여할 수 있도록 격려해주어라.

ENFJ (외향-직관-감정-판단)

동기부여와 지원: 팀 구성원들을 동기부여하고 지원한다. 팀 구성원들과 개별적으로 소통하고, 그들의 필요와 목표에 관심을 기울여주어라. 개인적인 성장과 발전을 지원하는 기회를 제공하고, 팀의 비전과 목표에 대한 열정을 공유하여라.

갈등 관리와 조화 조정: 갈등을 조화시킨다. 갈등 상황에서 중재자 역할을 수행하고, 의견을 이해하고 존중하는 방법을 강조하여라. 공정성과 투명성을 유지하며, 팀원들 간의 협력과 조화를 촉진해주어라.

ISTP (내향-감각-사고-인식)

문제 해결과 기술 지원: 문제 해결과 기술적인 지원에 능숙하다. 팀 구성원들의 역량과 기술을 인정하고 존중해주어라. 논리적인 분석과 해결책을 제시하며, 필요한 자원을 제공하여라. 실제 결과에 초점을 두고, 성과를 인정하는 문화를 조성하여라.

자율성과 유연성: 개인의 자율성을 존중한다. 업무 수행에 필요한 자율성과 유연성을 부여하고, 업무처리 방식과 절차에 대한 자기 결정권을 확대해주어라. 자신만의 방식으로 업무를 수행할 수 있는 환경을 조성하여라.

INFJ (내향-직관-감정-판단):

비전과 열정 공유: 팀에 비전과 열정을 전달하는 데 능숙하다. 공동의 비전과 가치를 강조하여라. 목표와 가치에 대한 열정을 공유하고, 팀원들의 역량과 잠재력을 인정해주어라. 개인적인 성장과 발전을 지원하며, 그들의 가치를 존중하여라.

감정적인 지원과 이해: 팀원들의 감정과 필요에 민감하게 대응할 수 있다. 자신을 편안하게 표현하고 소통할 수 있는 환경을 조성해주어라. 감정적인 지원과 이해를 통해 팀원들의 동기를 높이고 팀의 협력을 촉진하여라.

<선호유형의 계발>

외향형(E)

말과 행동으로 옮기기 전에 그 문제에 대해 깊이 생각해 보라.

실용적인 것을 선호하는 것도 좋지만 내면적인 가치도 소중히 여기는 삶의 습관을 기르는 것이 좋다.

내향형(I)

오랫동안 생각이나 고민에 빠져있기보다는 즉각 행동으로 옮겨라. 다른 사람이 옳다고 하면 거기에 따르는 자세도 필요하다. 자기 주장을 너무 고집하는 것을 피하라.

직관형(N)

이상에만 집중하지 말고 실제 현장에 적용 가능한지 살펴라. 전체적인 그림도 중요하지만 그 내용을 챙기는 것도 중요하다. 상대방이 따지고 들어오면 자신의 견해와 통합해 보라.

현실감각을 길러라.

감각형(S)

어떤 사건이나 현상에 대해 보다 멀리 내다보는 시각을 가져라. 너무 사실적인 일에 몰두하다 보면 전체를 놓칠 수 있다. 이 세상에는 애매하거나 추상적인 것도 같이 존재하는 법이다.

창의력을 길러라.

사고형(T)

너무 비판적이거나 따지고 드는 자세를 버려라. 가끔 자신의 말이 상대방의 마음을 아프게 하고 있지 않나 생각해 보라. 원칙도 좋지만 따뜻한 인간애도 중요하다.

감정형(F)

주장을 논리적이고 설득적으로 하도록 해 보라. 감정적으로 보기보다는 냉정하고 객관적인 시각을 가져라. 단호해져라. 단, 분명한 원칙과 준거를 가지는 자세를 길러라.

판단형(J)	인식형(P)
너무 계획에 집착하지 말고 융통성을 발휘하라.	즉흥적인 것도 좋지만 철저한 계획을 세우는 습관을 길러라.
지난 일에 집착하지 말고 그때그때 적응해 가는 자세가 필요하다.	일을 질서정연하게 하고 생활습관도 거기에 맞추어라. 좌충우돌하는 태도를 피하라.
완벽주의에 빠지지 않도록 신경써라.	

<MBTI 리더십 스타일>

ESTJ (외향-감각-사고-판단): 현실적이고 조직적인 성향이다. 리더십 스타일은 구조화된 방식으로 나타날 수 있다. ESTJ 리더는 명확한 지시와 목표를 설정하고 구성원들의 역할을 명확히 정의한다. 그들은 조직의 목표를 달성하기 위해 효율적이고 체계적인 방식으로 일을 추진한다. 팀원들에게 명확한 기대와 책임을 부여한다.

ENFJ (외향-직관-감정-판단): 사람 중심적이고 영감을 주는 성향이다. 리더십 스타일은 사회적인 조화와 동기부여에 초점을 둔다. 이 리더는 팀 구성원들의 감정과 필요를 이해한다. 팀의 협력과 상호작용을 장려한다. 그들은 공동의 비전과 가치를 공유한다. 팀원들을 동기 부여하고 지원하여 팀의 성과를 촉진한다.

ISTP (내향-감각-사고-인식): 실용적이고 문제 해결에 뛰어난 성향이다. 지도력 스타일은 타협하고, 문제 해결을 도모한다. 이 리더는 실질적인 결과에 초점을 둔다. 팀 구성원들의 역량을 인정하고 자율성을 존중한다. 문제 상황에서 논리적인 판단과 기술적인 능력을 활용하여 최적의 해결책을 찾아낸다.

INFJ (내향-직관-감정-판단): 공감하고 비전을 갖는 성향이다. 리더십 스타일은 영감과 도덕의 지도력을 보일 수 있다. 이 리더는 팀의 목표와 비전을 명확히 전달한다. 팀 구성원들의 성장과 발전을 지원한다. 팀원들의 감정과 관심사에 민감하게 대응한다. 팀의 협력과 조화를 유지하여 팀원들의 동기를 높인다.

<문제 해결 모델 예시>

감각--> 직관--> 사고--> 감정

감각: 문제를 명확히 한다. 사실, 세부 사항 수집, 현실을 직시한다.

직관: 대안들을 만들어낸다. 선택지를 나열한다. 상상력을 발휘한다.

사고: 각 접근 방식에 따른 해당 조치를 작성해본다. 각 가능성의 결과들을 도표로 나타내 본다. 논리적으로 생각한다.

감정: 각 해결책이 나와 타인에게 미치는 영향을 예측한다. 당신의 가치관을 고려한다. 공감 능력을 발휘한다.

<코칭 질문>

1. 당신이 원하지만 아직 이루지 못한 것은 어떤 분야의 무엇입니까?

2. 그것을 이루고 싶은 이유는 무엇입니까?

3. 그것이 이루어진 상태를 10점으로 가정하면 현재는 몇 점이라고 생각하나요?

4. 10점 만점인 상태를 생각하면 어떤 모습이 그려지시나요?

5. 그때 당신은 무엇을 하고 있으신가요?

6. 그것을 이루었다고 가정하면 어떤 기분이 듭니까?

7. 그 목표를 이루는 것은 당신에게 어떤 의미가 있습니까?

8. 그 목표를 얻는 것에 방해가 되는 것은 무엇입니까?

9. 그 방해가 되는 것을 어떻게 극복할 수 있습니까?

10. 그러면 지금부터 해야 할 당신의 행동은 무엇입니까?

11. 그것을 실행한 것을 내가 어떻게 알 수 있을까요?

MBTI 팀 구성

1. 다양성을 고려한다. 다양한 관점과 접근 방식으로 팀의 창의성과 문제 해결 능력을 향상한다.

2. 역할 분담을 한다. 각 구성원의 강점을 최대한 활용할 수 있도록 한다.

3. 의사소통 및 협력을 한다. 상호 간의 의견조율과 타협을 위한 공간을 마련하고, MBTI를 활용한다.

4. 성장과 발전의 기회를 제공한다. 개인의 잠재력을 개발하고 팀 전체의 성과를 향상할 수 있다.

5. 지속적인 피드백으로 리더십을 발휘한다. 리더는 팀원들의 강점을 최대한 발휘할 수 있도록 도와주는 역할을 한다.

4 서로를 이해하기 위하여

MBTI에서 지향하는 목표는 무엇인가? 서로를 이해하기 위해서다. 서로를 이해하는 것은 '네 이웃을 네 몸과 같이 사랑하라'는 성경의 말씀과 일맥상통한다. 서로를 이해하고 사랑하면 나와 이웃의 고립 탈출을 돕는다. 우리는 섬처럼 혼자 떠돌 수 없다.고립하면 외롭고 서글프고, 생존이 어렵다. 사람은 남의 도움이 필요하다. 남에게 도움을 주고받으면서 자립할 수 있다. 고립 속에서 진정한 의미와 생의 행복을 느낄 수 없다.

한국은 선진국으로 진입했으나 행복도는 아주 낮다. 필리핀이 행복도가 높은데TV에서 필리핀 대가족들의 웃는 모습을 보면서 행복한 이유를 알았다. 관계에서 친밀감을 느끼기 때문이다. 한국은 1인 가구 추세로 가고 있고, 외로움과 우울증, 공황장애가 늘고 있다. 의식주 생활은 나아졌는데 공동체성을 잃어가면서 마음은 더 황폐해지고 있다.

우리는 어떻게 친밀감을 누리며 행복할 수 있을까? 무관심 속에서 친밀감을 느끼기는 어렵다. 따뜻한 말 한마디가 필요하다. "어떻게 그럴 수가 있어?"라는 말 대신"어떻게 지냈니?" 하는 인사를 해보자. 인사를 할 때는 이웃이 어떻게 지내는지 들을 마음의 준비가 되어 있다. 평범한 인사도 사라진 삭막한 세상에서 우리는 허허로운 가슴을 쥐고 자고 일어나는 기계 같은 하루를 반복하면서 살고 있는지 모른다. 이웃의 안부를 들어줄 수 있는 따뜻한 가슴을 지닌 사람이면 좋겠다. 외롭게 이 길을 혼자 가지 않도록 같이 걸어가자.

사랑하기 위하여

**가게의 음료 메뉴에 문경 오미자차가 있었다. 어머님이 손수 만드신 순창의 오미자차가 떠오르기도 하고, 건강 음료를 원해서 이 차를 주문했다.

우선 길고 큰 도자기풍의 사기 컵이 마음에 들었다. 작은 찻잔에 담긴 감칠맛 나는 소량이 아니라 양이 많다. 대체로 넉넉해야 직성이 풀리기에 풍성한 느낌도 만족이다. 기대에 미치는 향과 맛이다. 색깔이 보랏빛이 감도는데 신비한 분위기를 자아낸다.

부모님이 사시는 시골의 산에는 오미자나무가 있다. 작은 포도가 열린 모양의 오미자 열매를 따기 위해서는 얽혀있는 오미자 가지의 가시 사이로 손을 넣어서 따야 한다. 아버지는 아들이 좋아한다고 엄마가 가시에도 불구하고 열매를 따서 담근다고 하신다.

굳이 엄마가 그래야 하나?라는 생각이 들었다. 부모님의 사랑은 희생과 고통을 마다하지 않는다. 부모님의 사랑뿐만이 아니라 사랑에는 고통과 대가가 있다. 나는 살수록 사랑이 어렵다. 희생과 고통을 감수하고 싶지 않다. 편하게 살고 싶다.

그래서 나는 과연 편하게 살고 있나? 이번 주 수요일에는 학생 방문 책놀이로 퇴근길 만원 지하철인 지옥철을 탔다. 몸 상태가 별로여서 따뜻하게 챙겨 입고 갔는데, 숨쉬기가 어려울 정도로 답답하고 등에 땀까지 흘렸다.

지하철에서 다시 버스로 환승을 하는데, 버스정류장에 사람들이 줄을 길게 늘어서 있었다. 그 동네에 사는 사람들의 퇴근길 일상 풍경인데 나는 너무 불편하고 고통스러웠다. 그다음 날 나의 편도는 붓고 말았다. 그 이후로 1주일간 말을 하는 것도 고통스러웠다.

사람을 사랑하고 섬긴다는 것이 누워서 떡 먹는 일이 아님을 알고 있지만 자꾸 계속해서 까먹는다. 그리고 그때마다 새삼 '그래. 편하게 사는 것이 전부는 아니지.'라고 되뇐다. 이해한다면 사랑하기 위하여 수고와 대가를 지불해야 한다.

감사와 행복

이름도 모르는 꽃을 보았다. 문득 눈이 갔다. 국화처럼 생겼으나 국화는 아니다. 들이나 숲에서 어느새 피었다 지는 꽃으로 기억이 된다. 그래도 이 꽃은 그저 이 꽃만의 향기가 있고 아름답다.

나의 인생과 비슷한 들꽃이다. 나는 딱히 눈에 띌 만큼 내세울 게 별로 없다. 그다지 인정받지 못하는 위치에 있다. 이상가형(INFP)인 나는 신념과 가치, 비전을 추구하면서 살아왔다. 꿈을 위해 걸어오면서 바닥을 칠 때도 있었다. 바닥에서 주어진 것을 그저 감사하면서 사는 것이 행복임을 깨달았다.

나는 학생들에게 하루 감사 일기를 쓰게 하고 나눔의 시간을 가진다. 수업은 '감사합니다. 수고하셨습니다.'로 마무리 인사를 한다. 인사에는 나의 인생철학이 담겨 있다.

최근 오랫동안 몸담고 있었던 공동체를 떠나기로 결정을 내렸다. 나의 존재감에 대해 생각하면서 인정 욕구가 머리를 쳐들기도 한다. 내가 없이 잘 안 굴러가기를 바라는 마음도 한편에 있다. 아무리 들꽃이라도 주인공이 되어 폼도 재고 주목받고 싶은 욕망은 있으리라.

이 단체를 떠나야 한다고 마음을 먹고 남은 시간을 보내니 마음에 휑하니 찬 바람이 분다. 한편으로는 씁쓸한 감정이 든다. 주인공 자리를 내려놓지 못하는 집착이 느껴져서 그렇다.

요즘 계속 입가에 맴도는 시 한 구절은 '가야 할 때를 알고 가는 이의 뒷모습은 얼마나 아름다운가?'이다. 이 순간에도 깨닫는 것은 감사이다. 여기까지 무사히 공동체에서 지내왔던 시간이 감사하다. 행복한 추억이라서 감사하다. 그리고 유종의 미를 거두어서 너무 감사하다.

독일의 철학자 칸트가 말하는 행복

첫째, 지금 어떤 일을 하기.

둘째, 어떤 사람을 사랑하기.

셋째, 어떤 일에 희망을 던지기.

<코칭 질문-내 생애 최고의 해를 보내기 위한 10가지 질문>

1. 내가 달성한 성과는 무엇인가?

2. 나가 가장 실망하게 한 것은 무엇인가?

3. 내가 배운 교훈은 무엇인가?

4. 나를 소극적으로 만드는 것은 무엇인가?

   -어떻게 하면 극복할 수 있는가?

5. 내가 소중히 여기는 가치는 무엇인가?

6. 나의 삶에서 내가 맡은 역할은 무엇인가?

7. 1년 동안 집중해야 할 주요 역할은 무엇인가?

8. 역할마다 세운 목표는 무엇인가?

9. 1년을 위한 10가지 목표는 무엇인가?

10. 어떻게 하면 10가지 목표를 확실하게 달성할 수 있는가?

-'내 생애 최고의 해' 중에서

인성과 행복

인성은 사람의 성품이고, 개인의 성격, 특성, 행동 방식을 포함한다. 행복은 개인이 만족하고 긍정적인 감정을 느끼는 상태이다. 인성은 긍정적인 사람과 연관이 있다.

긍정적인 태도는 행복한 경험을 만든다. 긍정적인 태도를 가지고 어려움에 긍정적으로 대처한다. 자신과 주변 사람들을 격려한다. 감사와 즐거움을 표현한다. 행복감과 긍정적인 감정을 촉진한다.

긍정적인 영향을 주고 삶의 목적을 실현한다. 긍정적인 사람들은 주변에 긍정적인 영향력을 행사한다. 타인에게 도움을 주고 지원하면 가치와 보람, 의미를 창출한다.

나를 넘어 우리로 나아가기

청소년과 MZ는 4차산업혁명시대를 살면서 여러 가지 변화 속에서 혼돈을 겪고 있다. 미래의 불안과 두려움에 노출되어 안정감을 잃은 문화 속에서 살고 있다. 청소년과 MZ, 우리의 공통분모는 '경쟁'이다. 경쟁과 시기는 인생 전체를 이끌며 끝도 없이 계속되어 간다. 다른 상황에서 대상과 목표물만 바꾼 채 말이다. 나의 가치는 사회에 나오면 직장과 차, 연봉의 액수로 평가된다. 다음은 아파트 평수와 차로 비교당하고 평가된다. 경쟁해서 앞서지 못하면 쓸모없는 존재가 된다.

경쟁은 낮은 자존감과 낮은 행복도를 보이고 높은 자살률을 가져온다. 남보다 잘나고 잘 살고 싶어서 시기하고 경쟁했으나 개인의 존재 가치가 흔들리고 공존이 위협받는다. 경쟁과 비교로 인한 열등감은 삶에 만족하지 못하는 원망과 불평을 가져온다. 나는 어떠한가? 이 현실을 어떻게 뛰어넘을 수 있을까?

우리는 지금 경쟁과 헤어질 결심이 필요하다. 같이 가면서 살 궁리를 찾아야 한다. 경쟁은 자멸을 넘어 공멸을 가져온다. 소통과 협력을 통해 공존과 공생의 길을 모색하고, 나와 네가 살아있어 감사하며 손잡고 걷는다면 자립의 길은 열린다.

MBTI의 지혜를 활용하면 공존과 공생을 할 수 있다. 서로 공존하고 행복하기 위해서는 서로를 이해하고 품는 자세가 필요하다. 나를 이해하고 타인을 알고 이해할 때 친밀한 인간관계가 시작된다. 친밀함을 통해서 협력과 소통의 길로 갈 수 있다. 이 안에서 우리는 행복감을 누릴 수 있다.

나와 다른 성격의 부분까지 이해하고 개발하면 대인관계에도 유익하다. 나의 성격이 이렇다는 고집에서 벗어나서 타인으로부터 나의 약한 부분을 보충해가는 상호작용을 하기 때문이다. 나의 강점은 키우고 나의 약점은 개발하면서 간다면, 삶이 더 풍성해질 수 있다.

내가 잘 되는 길은 남이 잘 되도록 돕는 선순환에 있다. 진로는 남의 성공에 기여하는 나의 길 찾기이다. 동시에 나의 성공은 남이 기여하고 있다. 인생은 네모라기보다는 돌고 돌아 나에게로 돌아오는 원이다. 우리는 경쟁을 내려놓고 서로의 길을 찾아가도록 돕는 존재로 서야 한다.

나는 요즘 살아있음에 감사가 절로 나온다. 또한 다른 사람들이 살아있어서 감사하다. 세상을 돌아보니 너무 많은 사람이 죽어가고 있음을 절감하기 때문이다. 하루를 산다는 것이 기적이다. 일상이 무탈함을 고마워하면서 산다면 잔잔한 기쁨을 느낄 수 있다. 행복의 가치는 내가 정한다. 어떻게 풍성한 행복을 누릴 수 있을까? 더불어 같이 걸어갈 때 행복은 어느새 우리 옆에 와 있다.

행복이란 씨가 땅에 떨어질 때 땅이 씨를 받아들여야 새싹이 돋는다. 아무쪼록 이 책의 필요한 부분들을 받아들여서 회복과 변화의 열매를 맺어가길 바란다.

줌 하브루타
독서코칭

What: 생각과 질문, 대화, 토론
말하면서 공부하기

How: 낭독, 경험, 재미, 궁금
중요, 메시지, 필사

Why: 창의성, 사고력, 공감 협업력 키우기
(인공지능시대 인재)

문의및등록:

행복한 동행
대표 양 옥 미

Mobile : 010-2766-5848
E-mail : 21ycec@naver.com

행복한 동행♪